Llyfrau Llafar

Tyddynnod y Chwarelwyr

Dewi Tomos

Llyfrau Llafar Gwlad

Golygydd y gyfres: Esyllt Nest Roberts

Argraffiad cyntaf: Medi 2004

⒜ Dewi Tomos

Rhif Llyfr Safonol Rhyngwladol:
0-86381-926-5

Cynllun clawr: Sian Parri

Argraffwyd a chyhoeddwyd gan Wasg Carreg Gwalch,
12 Iard yr Orsaf, Llanrwst, Dyffryn Conwy, LL26 0EH.
☎ 01492 642031
🖷 01492 641502
✆ llyfrau@carreg-gwalch.co.uk
Lle ar y we: www.carreg-gwalch.co.uk

Cyflwynedig i Marian Elias Roberts
am ei hymroddiad i'r petha' sy'n
cyfri i ni fel cenedl.

Mapiau

Diolchiadau

I Dr Gwynfor Pierce Jones a Dr Dafydd Gwyn am gyngor ar rai agweddau o hanes y chwareli ac archaeoleg.
I Arwel Jones, Ty'n Rhosgadfan ac Arwel Williams, Penffridd am wybodaeth leol yn ardal Rhosgadfan.
Staff Llyfrgell ac Archifdy Caernarfon.
I Dafydd Glyn Jones am ei gyflwyniad caredig, a'i awgrymiadau gwerthfawr.
I Esyllt Nest Roberts am ei gwaith yn golygu'r deipysgrif a Gwasg Carreg Gwalch am eu cymorth arferol.

Cynnwys

Cyflwyniad

O'm darn bach o dir uwchlaw pentref Carmel gallaf weld y rhan helaethaf o ddau blwy Llandwrog a Llanwnda. Wrth edrych tua'r gogledd, dros Gors Dafarn a dyffryn afon Llifon a thuag at lechweddau Moeltryfan, gallaf gyfrif cryn ddeugain o dyddynnod 'comin Uwchgwyrfai', testun y llyfr hwn. Yn ddiweddar iawn yr oeddwn yn tynnu sylw cymdogion o newydd-ddyfodiaid at un ffaith nodedig yn hanes y tyddynnod hyn. 'Edrychwch,' meddwn i, 'rhydd-ddaliadau bob un, hyd y gwn i. Pan oedd hen deuluoedd yr ardal yn byw yn y tai yna, doedd dim un ddimai o rent yn cael ei thalu i na sgweiar na meistr tir. Dyna ichi beth eithriadol yn hanes yr hen Sir Gaernarfon ac yn hanes y rhan fwyaf o Gymru. Cofiwch hynna.' Yna ceisio crynhoi iddynt helynt enwog 1826, pan rwystrwyd ymgais Arglwydd Newborough i feddiannu tiroedd rhannau ucha'r ddau blwy. Cyd-drawiad ffodus amgylchiadau a sicrhaodd y fuddugoliaeth honno; am hynny nid yw'n nodweddiadol o duedd, a gormod fyddai honni iddi arwyddocâd gwleidyddol mawr. Eto, fel enghraifft lwyddiannus o 'ddal dy dir', mae'n codi'r ysbryd ac yn ennyn balchder – hyd yn oed i mi nad oedd fy nheulu wedi cyrraedd yr ardal bryd hynny. Byddai'n destun gwych i sioe gerdd neu opera roc.

Hanes byr, mewn gwirionedd, sydd i'r tyddynnod, fel y dengys y llyfr hwn yn glir iawn. Ambell un ohonynt yn unig sy'n wirioneddol hen, fel Pen Bwlch Bach, Carmel – neu Pant y Pwll cyn hynny, fel y dangoswyd imi gan Mona Jones, a fagwyd yno. Am y rhan fwyaf, cynnyrch chwys a llafur y bedwaredd ganrif ar bymtheg ydynt, iau o ran oed ac uwch i fyny ar y llethrau na'r 'Hafodydd' a'r 'Hafotai' sy'n rhes ar hyd llinell tua 400-600 troedfedd o uchder ar draws y ddau blwy. (Y ddwy eithriad amlwg i hynny, hyd y gallaf gofio, yw yr Hafod wrth odre Mynydd Grug, a Hafod Ruffydd, yn uchel ar ystlys ogledd-ddwyreiniol Moeltryfan.) Dengys yr astudiaeth hon y fath dro syfrdanol ar fyd a welodd y tyddynnod o fewn cyfnod o ddim llawer mwy na chanrif a hanner, o adeg eu prysur godi ar anterth gweithgarwch y chwareli i'r heddiw lle nad oes fawr ddewis ond mynd yn furddunnod neu gael eu prynu gan bobl ddŵad. Byddai'n well petai rhywun wedi gweiddi 'Dal dy dir!' ym mhedwar a phum-degau'r ugeinfed ganrif. Ond doedd fawr neb wedi meddwl felly yr adeg honno, a dyma ni bellach gyda phroblem anferth na ŵyr neb yn iawn beth yw'r ateb iddi. Hwyrach fod rhan o'r ateb gan yr hen

Gymry. Daliaf fod hawl o hyd gan bob Cymro i hendref a hafod, os yw ei amgylchiadau mewn rhyw fodd yn caniatáu. Gadewch inni beidio â gwamalu: mae tŷ haf neu ail gartref yn iawn os mai Cymro a'i piau. Beth amdani, blant alltud ein hardal a aeth yn 'drigolion gwaelod gwlad a gwŷr y celfau cain'? Nid yw'n ateb cyflawn i'r broblem o bell ffordd, ond mae'n un ffordd fach o 'ddal dy dir'.

Mae fy nghyfaill Dewi Tomos (Dewi Hywel, neu yn fwy manwl eto, Dewi Hŵal, i ni'r Carmeliaid) erbyn hyn yn awdur nifer da o gyfrolau, a'r rhan fwyaf wedi eu hysbrydoli gan ei ddiddoreb ysol yn ei ardal a'i deimlad tuag ati. Byddaf yn gosod ei ddarlith *Atgof Atgof Gynt*, a gyhoeddwyd yng nghyfres 'Darlithoedd Llyfrgell Pen-y-groes', 1997, ymhlith yr hanner dwsin darlithoedd gorau yn fy nghof a'm profiad i. Mae Dewi hefyd yn ŵr o ddiddordebau eang, ac o hynny y daw arbenigrwydd y gyfrol hon. Mae mwy i'r 'filltir sgwâr' nag atgofion ac argraffiadau personol, er mor werthfawr yw'r rheiny, a chymhwysodd Dewi yma ei wybodaeth o ddaeareg, botaneg, ecoleg a hanes economaidd a chymdeithasol i roi inni olwg newydd ar fyd cyfarwydd. Dewisodd hefyd ddyfynnu'n helaeth o waith awduron a fu o'i flaen: bu'r ardaloedd hyn yn eithriadol ffodus yn y llenorion a ddaeth i'w disgrifio a'u dehongli, ac ers blynyddoedd ymunodd Dewi ei hun â chwmni clodwiw'r dehonglwyr hyn. Rwy'n sicr y bydd llawer, fel finnau, yn cael mwynhad arbennig o'r gyfrol.

Dafydd Glyn Jones
Gorffennaf 2004

Rhagair – Gafael y Comin Arnaf

Rhes o fynyddoedd a'u cefnau yn grymanog gan henaint,
Yn gwylio breuder dynion yn brodio
Yn eu briw harddwch eu bro;
Rhwydwaith uwch bro rhedyn
O wifrau a mastiau mawr,
Aflendid lle bu glendid glas,
Tomennydd rwbel fel gwrachod gwargam
A'u peisiau racslyd yn difwyno'r dolydd.
Erthylod Gwern a Chriafol yn cuddio creithiau y mynyddoedd,
Tyllau chwarel dan ddŵr
Mor llonydd â meirw'r mynwentydd.

'Cadwynau', Tom Huws

Bu sawl cenhedlaeth o 'nheulu yn byw ar dyddynnod ar ffiniau'r comin, ar ochrau'r Cilgwyn, ym Mhen Carmel, Pen-cilan, Gogerddan, Tŷ newydd Cim a Phen-ffynnon-wen. Dilynai'r meibion eu tadau i weithio yn chwareli'r ardal, 'nhad a'i dri brawd, brawd i fy mam, fy nheidiau a'm hen deidiau. Daeth yr olyniaeth i ben gyda mi, pan weithiais yn chwarel y Foel dros wyliau haf tra oeddwn yn y coleg.

Fe'm ganed yng Ngharmel yn 1942 a'm magu yn fab i chwarelwr mewn pentref nodweddiadol o ardaloedd y chwareli llechi. Dyma 'nghartref tan 1965, pan euthum i Lerpwl i weithio; oddi yno dychwelais i'r ardal wedi priodi yn 1973 ac i sefydlu cartref, y tro yma yn Rhostryfan. Rwy'n byw yma gyda 'nheulu ers hynny a does gen i ddim mymryn o awydd symud i unman arall. Yma y byddaf tra byddwyf bellach, hyd nes y llithraf 'i'r llonyddwch mawr yn ôl'. Gwelwch felly i mi dreulio'r rhan helaethaf o 'mywyd yng nghyffiniau ac yng ngolwg Comin Uwchgwyrfai. Pan oeddem blant yn tyfu yng Ngharmel, cymerem y comin yn ganiataol a gwnaem ddefnydd helaeth ohono fel man chwarae bendigedig. Copa Mynydd y Cilgwyn oedd fy hoff fangre ar wyneb y ddaear bryd hynny, ac fe bery'n uchel ar y rhestr, gyda Moeltryfan a'r Mynydd Mawr, neu'r Mynydd Grug fel y galwem ni o, yn dynn wrth ei sawdl. Dyma'r mynyddoedd a ddringais yn amlach nag unrhyw rai eraill; dyma lle y teimlaf yn berffaith gartrefol, yn hollol gytûn â'r byd o'm cwmpas, ble caf dawelwch meddwl. O ystyried hyn oll, does ryfedd fod gennyf gymaint o ymlyniad wrth gomin Uwchgwyrfai.

Ni byddaf yn siŵr pwy ydwyf yn iawn
Mewn iseldiroedd bras a di-fawn.

Mae cochni fy ngwaed ers canrifoedd hir
Yn gwybod bod rhagor rhwng tir a thir.

Ond gwn pwy wyf, os caf innau fryn
A mawndir a phabwyr a chraig a llyn.

'Cynefin', T. H. Parry-Williams

Sut le oedd o ac ydi o? Pa newidiadau a fu? Beth fydd ei ddyfodol?

COMIN UWCHGWYRFAI

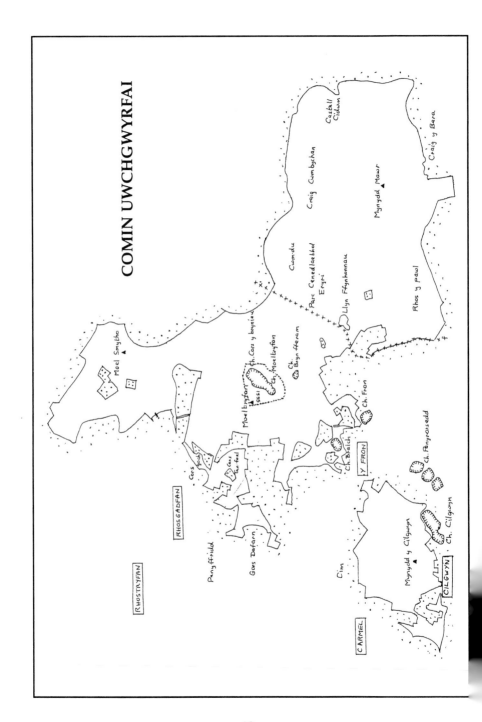

Safle

Saif Comin Uwchgwyrfai ym mhlwyfi Llanwnda, Llandwrog a Betws Garmon, tua chwe milltir i'r de-orllewin o Gaernarfon yng Ngwynedd. Cynhwysa fynyddoedd Mynydd Mawr, Moel Smytho, Moeltryfan a Mynydd y Cilgwyn, ar dir rhwng 200 a 700 metr uwchlaw'r môr, ac yn gorchuddio arwynebedd o tua 2500 erw. Fe'i perchenogir yn rhannol gan y Goron, rhannau gan berchnogion olaf y chwareli, a gorwedd rhan ohono o fewn ffin Parc Cenedlaethol Eryri. Mae rhan ohono, gan gynnwys copa Moeltryfan, yn Safle o Ddiddordeb Gwyddonol Arbennig *(SSSI)*.

Ymestyn o'r pen gogleddol wrth y wal fynydd ger Pen-yr-allt (CG 516586) tua'r de-orllewin i gwmpasu coedwig Hafod y Wern (523572) ac ymlaen i'r un cyfeiriad at ffin y Parc Cenedlaethol (529588), i'r gorllewin i fyny Mynydd Mawr (537549), yna i'r dwyrain at Graig y Bera (543543) ac i'r Fron (508547), i'r de-ddwyrain i Fynydd y Cilgwyn (494548), heibio pentref Carmel (493554) ac i'r gogledd-orllewin heibio tomennydd rwbel Moeltryfan i Rosgadfan (501576) ac yna dilyna'r wal fynydd yn ôl i Ben-yr-allt.

Daeareg

Cynhwysa daeareg yr ardal greigiau yn bennaf yn dyddio'n ôl i'r cyfnodau Cambriaidd ac Ordofigaidd, gyda rhai brigiadau o greigiau Igneaidd. Ceir amrediad o haenau ar Foeltryfan, o grit Tryfan i graig gyfansawdd Cilgwyn i lechfaen Llanberis. Yn ogystal ceir yno waddodion morol o'r cyfnod dros 18,000 o flynyddoedd yn ôl pan gyfarfu rhewlifoedd Môr Iwerydd ac Eryri. Gwelir mwy o olion Oes yr Iâ yng Nghwm Du ar ochr ogleddol Mynydd Mawr.

Dyfarnwyd copa Moeltryfan yn Safle o Ddiddordeb Gwyddonol Arbennig *(SSSI)* oherwydd ei bwysigrwydd daearegol. Fe'i disgrifir fel safle Pleistosenaidd glasurol o gryn ddiddordeb hanesyddol, gyda lefel uchel o waddodion creginaidd a ddisgrifiwyd gyntaf gan Joshua Trimmer yn 1831 mewn llythyr at y daearegwr William Buckland. Darganfuwyd y cregyn wrth gloddio am lechi; llwyddwyd i adnabod rhai a gwelwyd bod yr un rhywogaethau ar rai o draethau'r ardal. Mae'n debyg mai Trimmer oedd prif arolygydd chwarel Penyrorsedd ar y pryd, daearegwr brwd a enwebwyd yn aelod o'r *Geological Society* yn 1832. Cyhoeddodd y gyfrol *Practical Geology and Mineralogy* yn 1841, ffrwyth ei brofiad yn y chwareli siŵr o fod.

Dysgodd nifer o chwarelwyr, na chawsant fanteision addysg uwch, wybodaeth ymarferol am ddaeareg y creigiau drwy brofiad wrth ddyfalu ple y ceid yr haenau gorau o lechi. Bu Charles Darwin o gwmpas gogledd Cymru hefyd yn 1831 gyda'r daearegwr amlwg Adam Sedgwick, a buont yn chwarel y Penrhyn a Chwm Idwal bryd hynny. Yn 1842 daeth i Eryri drachefn, i Gwm Idwal a Llanberis, ac yma i Foeltryfan i ddilyn trywydd darganfyddiad Trimmer. Bu'n astudio'r creigiau ar y copa ac yn chwilio am y ffosiliau cregyn. Mae'n eitha tebygol fy mod i wedi cyffwrdd yr un creigiau! Barclodiad y Cawr yw'r enw lleol ar y creigiau yma.

Esgorodd y darganfyddiad ar un o ddadleuon daearegol mwyaf tanbaid y bedwaredd ganrif ar bymtheg rhwng daearegwyr amlycaf y cyfnod. Roedd canolbwynt y dadlau'n digwydd rhwng y 'Rhewlifegwyr' (a gredai yn y Ddamcaniaeth Rewlifol newydd) a'r 'Dilywiolwyr' (a gredai yn y dilyw Beiblaidd fel sail i nodweddion daearyddol). Sefydlwyd dadl gref dros y Ddamcaniaeth Rewlifol o ganlyniad i astudiaethau o'r gwaddodion *drifft* ar gopa Moeltryfan a chan ddilyn astudiaethau eraill o nodweddion rhewlifol amlwg mewn lleoedd fel Cwm Idwal. Pan gyfarfu'r rhewlifoedd, codwyd y gwaddodion morol i'w huchder presennol a gwelir cregyn yn y graig gyfansawdd ar y copa i brofi hyn.

Dylanwadodd y brigiadau o wahanol greigiau ar anheddau cynnar, gydag amrywiaeth o gerrig a mwynau i'w cael ar yr wyneb a oedd yn fuddiol ar gyfer adeiladu cartrefi ac amddiffynfeydd, ac i wneud celfi ac arfau. Brigai llechfaen ar Foeltryfan a'r Cilgwyn, rhan o haen Dyffryn Nantlle; canfuwyd peth gwaith haearn yn Hafoty Wernlas; tyrchwyd am gopr yn Nrws-y-coed, yn agos i ffin y comin; a gwelir gweddillion mwynfeydd haearn ym Metws Garmon.

Ceir o leiaf bedwar math gwahanol o bridd ar y comin:

Bangor: pridd sy'n cynnwys haen denau o fawn asidaidd dros graig risialog asidaidd, a chan nad oes fawr o ddyfnder mae'n socian yn hawdd, ond fe sycha'n gyflym hefyd ac felly fe bery'n socian am tua thri mis o'r flwyddyn yn unig, er bod hyn wedi gwaethygu dros y gaeafau gwlyb diweddar. Rhostir grugog yw'r rhan helaethaf, gyda nifer o fawnogydd a phyllau dŵr.

Brickfield: ar graig Garbonifferaidd, siâl neu dywodfaen, yn briddgleiog gyda threiddiad araf, ac o ganlyniad mae'n llawn dŵr am gyfnodau hirion, hyd yn oed pan ddraenir y tir. Porfa fras yn llawn brwyn yw yn bennaf.

Hexworthy: pridd podsolig, ar Foeltryfan dros graig rhyolitig. Tir creigiog gyda meini gwasgarog a phridd caregog heb fawr ddyfnder. Rhostir grugog, agored gyda phlanhigion mawnog yn y safleoedd gwlypaf.

Manod: pridd cleiog yn bennaf gyda draeniad da dros lechfaen neu garreg laid Palaeosoig, y rhan fwyaf ar dir goleddog sydd, o'i gyfuno â'r glawiad trwm (+1000mm. p.a.), yn golygu y golchir ymaith lawer defnydd crai fel bod y pridd yn asidig iawn ac yn brin o ffosfforws. Mae'r graig yn agos iawn i'r wyneb mewn mannau. Porfa fras neu weiriau parhaol yw'r rhan helaethaf ohono.

Hinsawdd

Fel gweddill tir mynydd Prydain, ardal o lawiad uchel a gwyntoedd cryfion yw Uwchgwyrfai, hinsawdd sy'n effeithio ar y bio-amrywiaeth.

Glawiad dros gyfnod blynyddol:

Mis	Tymheredd aer(°C)	Glawiad (mm)	Haul (oriau)
Ionawr	2.6	195	1.1
Chwefror	2.6	125	2.0
Mawrth	4.6	119	3.3
Ebrill	6.6	112	4.5
Mai	9.5	111	5.3
Mehefin	12.4	109	5.7
Gorffennaf	13.7	115	4.7
Awst	13.7	157	4.5
Medi	12.1	178	3.5
Hydref	9.2	192	2.4
Tachwedd	5.6	205	1.4
Rhagfyr	3.8	211	1.0

Cyfanswm 1829
Tymor tyfu – 225 diwrnod

Mae'r ardal o fewn 3-6 milltir i'r môr gyda'r llethrau'n agored i'r gwyntoedd arferol o'r gorllewin neu'r gogledd-orllewin. Daw'r cymylau llwythog dros Fôr Iwerddon i wrthdrawiad â'r bryniau gyda'r canlyniadau anochel o law, mwy o law, niwl, a gwyntoedd cryfion, ond mae'n lle braf i fyw serch hynny!

Yn ardal Moel y Fantro, deuai'r gwanwyn yn ddiweddar a'r gaeaf yn gynnar. Byddai caeau gwaelod y plwy yn eu gwyrdd cyn i gaeau Moel y Fantro ddiosg gwisg y gaeaf. Byddai coed y lle olaf yn noeth pan wisgai coed lleoedd eraill wisgoedd yr hydref. Pan chwythai'r gwynt o'r môr, yr oedd Moel y Fantro yn nannedd y ddrycin, a châi'r merched gryn drafferth i lanhau heli'r môr oddi ar y ffenestri.

Ac eto i gyd, yr oedd yno ryw harddwch na welid mohono'n gyffredin. Bob nos o'u bywyd gwelodd chwarelwyr yr ardal hon yr haul ym machlud dros Fôr Iwerydd neu dros Sir Fôn. Yn yr haf, ei dân yn troi Menai yn waed am hir, ac yn y gaeaf, ei lewych melyn gwan yn darfod yn sydyn. Gwelodd y bobl hyn leuad llawn Medi yn codi dros ben yr Wyddfa, ac yn taflu ei goleu ar weithwyr y cynhaeaf. Eto y mae'n gwestiwn a gymerasant amser i edmygu'r golygfeydd erioed.

'O Gors y Bryniau', *Yr Athronydd*, Kate Roberts

Moel y Fantro? Aralleiriad o Moeltryfan. Fe welwn innau o Garmel fy mhlentyndod, ac fe welaf o'm cartref yn Rhostryfan, ryfeddod y machludoedd bendigedig yn troi'r Eifl yn Feswfiws fis Rhagfyr, yn amlinellu mynyddoedd Wiclo dros Fôr Iwerddon, yn garped coch hudol dros y Foryd.

Tirwedd

Mae tirwedd y comin yn nodweddiadol o effeithiau rhewlifoedd, yn dir tonnog, gwlyb, llawn pantiau a phonciau a bryniau. Ceir nifer helaeth o ffrydiau, pyllau dŵr a mawnogydd yn britho'r ardal, gan gynnwys tarddiadau nifer o afonydd – afon Carrog, afon Wyled ac afon Llifon a'u llednentydd. Mae'r llyn mwyaf o ddigon, sef Llyn Ffynhonnau, yn swatio wrth droed Mynydd Mawr. Mae amryw o fawnogydd fel Cors Dafarn, Cors Tan-foel, Cors Goch a phant hir o gors wrth droed Mynydd Mawr. Mae'r tri mynydd isaf, Moel Smytho (243m), Moeltryfan (427m), a Mynydd y Cilgwyn (347m) yn rhai crynion, gyda gorchudd o bridd dros y rhan fwyaf ohonynt, a chlystyrau o feini yma ac acw, a chreigiau amlwg ar gopa Moeltryfan. Mynydd Mawr yw'r uchaf o ddigon (698m), hwn eto yn weddol grwn ei siâp ond gydag ochrau serth creigiog a gorchudd o sgri arnynt i'r de, Craig y Bera, ac i'r gogledd, Cwm Du a Chastell Cidwm.

Ffurfia'r comin a'r tir o'i amgylch ardal o dirwedd sydd heb ei difetha lawer, gyda lefelau isel o ymyrraeth neu reolaeth ddynol, heblaw am y chwareli a'r tyddynnod, ac o'r herwydd y mae o ddiddordeb amgylcheddol arbennig. Cynhwysa'r ardal nifer helaeth o safleoedd archaeolegol a gweddillion hanesyddol – rhai ohonynt yn ddwy fil o flynyddoedd oed a mwy. Dyma'r ysbrydoliaeth a gafodd O.M. Edwards ar gopa Mynydd y Cilgwyn:

. . . cychwynnais wedyn i fyny'r mynydd byrwellt . . . Y neb a fedr yfed ysbrydiaeth mynyddoedd, safed ar ben mynydd Carmel. Gwêl hwy yno, yn dyrfa fawr hanner-ysbrydol, o'r Eifl i'r Mynydd Mawr. Gwêl yr Wyddfa, yn edrych i lawr yn wylaidd fawreddog, drwy Ddrws-y-coed. Wrth droed y mynydd, un ochr y mae Dinas Dinlle a'r môr; yr ochr arall y mae llynnoedd Nantlle, Penygroes a'r mynyddoedd.

Dyma le i weled mawredd y mynyddoedd a ffyrdd y môr. Yr ydym fel pe baem ym mhresenoldeb rhyddid . . .

Yn y Wlad, O.M. Edwards

Ceir awgrym o'r tirwedd yn enwau rhai o'r tyddynnod, megis Bryn Crin, Manllwyd, Gors Goch, Bryn Gwynt, Hafod y Rhos, Ty'n y Fawnog, Ffridd Lwyd, Bryn Rhedyn a Glan Gors.

Yr Amgylchedd

Ceir amrywiaeth o gynefinoedd o fewn y comin, o dir ymylol ger y pentrefi hyd at dir mynydd mwy anghysbell ar y Mynydd Mawr, a ffurfia hyn olygfeydd dramatig a phrydferth o fewn yr ardal. Amrywia'r cynefinoedd gymaint oherwydd y gwahaniaethau mewn tirwedd. Mae Moeltryfan a'r Cilgwyn yn nodweddiadol o ffriddoedd mynydd gweiriog, ble mae glaswellt y gweunydd (*Molinia caerulea*), brwynen droellgorun (*Juncus squarrosus*) a'r gawnen ddu (*Nardus stricta*) yn fwy cyffredin na grug, er bod y planhigion hyn i'w gweld yn aml yn gymysg â rhywogaethau o rug megis grug deilgroes (*Erica tetralix*) a grug cyffredin (*Erica cinerea*).

Yn gymysg â'r glaswelltir gwelir clytiau o rug (*Calluna vulgaris*), llus (*Vaccinium myrtillus*), creiglus (*Empetrum nigrum*), brwyn a rhedyn yn ffurfio clytwaith o amrywiol liwiau. Canlyniad canrifoedd o bori gan anifeiliaid fferm yw amlygiad y planhigion hyn heddiw – defaid yw'r mwyafrif ohonynt ers peth amser bellach, ond yn y gorffennol gwartheg a borai yma yn bennaf, a merlod a geifr hefyd. Drwy bori a sathru rhwystrant dyfiant coed a llwyni a hyn, yn y pen draw, sy'n creu amrywiaeth o amodau cynefin ar gyfer fflora a ffawna. Mae'r anifeiliaid pori yn gadael tail, gwlân, ffwr a burgynnod sydd yn eu tro yn ffynhonnell bwyd i bryfed, sydd yn denu adar pryfysol megis y frân goesgoch ac mae'r gweiriau o wahanol uchder yn hafan i'r gornchwiglen a'r sigl-di-gwt.

Gwnaed sawl arolwg ecolegol manwl gan wahanol sefydliadau yn ddiweddar – gan Uned Maes Cymru rhwng 1985 ac 1989 a chan Uned Arolygon Gwledig CPC Aberystwyth yn 1991. Dyma grynodeb o'u canlyniadau:

Ceir arwynebedd sylweddol o laswellt y rhos (*Danthonia decumbens*) mynyddig, cyfoethog mewn cen ar gopa Mynydd Mawr, ar uchder is o lawer nag ar fynyddoedd eraill yn Eryri. Cynhwysa beisgwellt y defaid (*Festuca ovinia*) byr, llawn cen, gyda digonedd o lus gwastad ar y llawr a llus coch (*Vaccinium vitis-idaea*), a chlystyrau gwasgaredig o greiglus bychan. Ceir hefyd blanhigion is megis cnwpfwsogl alpaidd (*Diphasiastrum alpinum*) a chnwpfwsogl mawr (*Huperzia selago*).

O gwmpas Mynydd Mawr a Moel Smytho ceir lleiniau eang o rostir grugog gyda grug (*Erica cinerea*), sy'n gynefin cymharol brin yn Eryri. Ar y creigiau ar ochr ogleddol Mynydd Mawr ceir rhedynen frau (*Cystopteris fragilis*), rhedynen y graig (*Phegopteris conectilis*) a thormaen serennog (*Saxifraga stellaris*). Gwelir rhedynen y graig a choedfrwynen fawr (*Luzula sylvatica*) ymysg y tyfiant rhedynog mewn dwy hafn yng Nghwm Du, ac oddi tanynt sgri eang yn cynnwys ambell redynen bersli (*Cryptogramma crispa*) ac ychydig o rug. Mae twmpathau o rug racomitriwm (*Racomitrium lanuginosum*) ar dir glas Cwm Planwydd. Tyf rhedynen frau mewn hen lefel ar Graig Cwmbychan, ac ar dir llaith asidig y tu isaf ceir glaswellt y gweunydd, llafn y bladur (*Narthecium ossifragum*) a thoddaidd alpaidd (*Pinguicula vulgaris*).

Gan mai gwair byr gan mwyaf, a grug, yw cyfran helaeth o'r tir, a bod yno nifer o byllau a mawnogydd, yn ogystal â hen dyllau chwarel a thomennydd llechi eang a murddunnod a hen adeiladau'r chwareli, a thomen ysbwriel y Cilgwyn, y mae digon o amrywiaeth o fwyd i adar i'w gael. Gwnaethpwyd sawl arolwg o'r adar sydd ar y comin:

Rhywogaethau o adar rhwng 1985 a 2000:

Boda	*Butei buteo*
Brân goesgoch	*Pyrrhocorax pyrrhocorax*
Gylfinir	*Numenius arquata*
Siglen lwyd	*Motacila cinerea*
Bod tinwen	*Corcus cyaneus*
Crëyr glas	*Ardea cinerea*
Gwylan y penwaig	*Larus argentatus*
Cudyll coch	*Falco tinunculus*
Cornchwiglen	*Vanellus vanellus*
Hwyaden wyllt	*Anas platyrhynchos*
Corhedydd y waun	*Anthus pratensis*
Hebog tramor	*Falco peregrinus*
Siglen fraith	*Motacilla alba*
Cigfran	*Corvus corax*
Grugiar	*Lagopus lagopus*
Mwyalchen y mynydd	*Turdus torquatus*
Pibydd y dorlan	*Tringa glareola*
Ehedydd	*Alauda arvensis*
Giach	*Gallinago gallinago*
Clochdar y cerrig	*Saxicola torquata*

| Tinwen y garn | *Oenantha oenantha* |
| Dryw | *Troglodytes troglodytes* |

(Arolygon CPC Aberystwyth; CPC Bangor; RSPB; Uned Maes Cymru.)

Bu gostyngiad yn niferoedd rhai rhywogaethau (e.e. y frân goesgoch, o 10 pâr yn 1985 i un pâr yn 2000). Bu gostyngiad dramatig yn niferoedd y gylfinir a'r gornchwiglen hefyd ar y comin a'r tiroedd o'i gwmpas. Fe'u gwelid yn aml ar y comin ugain mlynedd yn ôl; gwyddwn am gaeau ble byddwn yn siŵr o weld hanner dwsin neu fwy o gornchwiglod ac fe glywn y gylfinir yn ddyddiol bron o'r ardd acw, ond nid felly y bu ers tua phum mlynedd neu fwy. Gwelaf a chlywaf y gylfinir yn achlysurol, ond ni welais y gornchwiglen ar y tiroedd o gwmpas y comin ers blynyddoedd, er bod rhai i'w gweld ar rostir gwlyb yn Rhos-isa. Gall y gostyngiad fod yn ganlyniad i luchio sbwriel, llygredd sŵn beiciau modur ar y comin, llygredd tir, mwy o adar ysglyfaethus megis y boda, a newid yn nwyster y pori. Ni welais rugieir yma ers sbel chwaith, er y gwelwn hwy yn codi o'r grug ar Foel Smytho yn ddigon aml ugain mlynedd yn ôl. Pa un yw'r aderyn mwyaf niferus ar y comin bellach? Heb os, gwylanod wrth y cannoedd o gwmpas tomen sbwriel y Cilgwyn.

Yr anifeiliaid mwyaf cyffredin yw'r cwningod ar y tomennydd llechi, ambell ysgyfarnog i'r de-orllewin o Fynydd Mawr, geifr ar lethrau Castell Cidwm a llyffantod yn y pyllau niferus. Bûm gyda'r plant i hel grifft i fynd i'r ysgol sawl tro!

Astudir nifer o safleoedd posibl ar gyfer eu nodi fel Safleoedd Bywyd Gwyllt Anstatudol gan Ymddiriedolaeth Bywyd Gwyllt Gogledd Cymru ar hyn o bryd, sy'n rhan o arolwg dros Wynedd gyfan i nodi safleoedd pwysig er mwyn diogelu'r bio-amrywiaeth, ac mae'n debygol y cynhwysir nifer o gynefinoedd ar y comin.

Mae'r chwareli segur a'r tomennydd, rhai ohonynt ymhell dros gant oed, yn graddol gael eu gorchuddio gan blanhigion.

Anaml yr aem i gyfeiriad y chwarel, o'r hyn lleiaf ni, y genod. Byddai arnaf fi ofn edrych i waelod twll y chwarel. Ond yno yn y domen rwbel y darganfuom y rhedyn hwnnw a elwir yn rhedyn mynydd neu redyn chwarel – y *'parsley fern'* yn Saesneg. Dotiem arno, a cheisiasom ei dyfu gartref ond ni welais neb yn llwyddo i'w dyfu, y llechen las oedd ei gysgod a'i nodd.

Y Lôn Wen, Kate Roberts

A dyma ddisgrifiad o'r Lôn Wen a Moel Smytho:

> Cyraeddasant y ffordd drol a arweiniai i'r mynydd . . . Yr oedd y ffordd yn gul ac yn galed dan draed. O boptu yr oedd y grug a'r eithin, y mwsogl llaith a'r tir mawn. Yr oedd yr eithin yn fân ac ystwyth a'i flodau o'r melyn gwannaf megis lliw briallu, a'r grug cwta'n gyferbyniad iddo ef a'r tir tywyll oedd o'i gwmpas. Rhedai ffrydiau bychain o'r mynydd i'r ffordd, a llifent ymlaen wedyn yn ddŵr gloyw hyd y graean ar ei hochr. Weithiau rhedai'r ffrwd i bwll ac arhosai felly. Croesai llwybrau'r defaid yn groes ymgroes ymhob man, a phorai defaid a merlod mynydd llaes eu cynffonnau hyd-ddo.Yr oedd popeth a gysylltid â'r mynydd yn fychan – yr eithin, y mwsogl, y defaid, y merlod.

Traed Mewn Cyffion, Kate Roberts

Mae nifer o goed ifainc – criafol a chelyn yn bennaf, wedi tyfu hyd at ryw dair troedfedd ar ochr ogleddol Mynydd y Cilgwyn erbyn hyn. Tyfant gan amlaf o ganol twmpathau trwchus o eithin. Pam y datblygiad yma? Llai o ddefaid yn pori, llai o losgi eithin a grug, ac felly caiff y coed lonydd i egino a thyfu mae'n debyg. Bu tân mawr ar y mynydd yn ystod gwanwyn poeth, sych 2003 ond yn ffodus goroesodd y rhan fwyaf o'r coed.

Gwelir felly bod comin Uwchgwyrfai yn cynnwys amrywiaeth o gynefinoedd gwerthfawr. Glaswelltir asidig a llwyni grug nodweddiadol o ardaloedd ucheldir a geir yma, ac mewn cyd-destun Prydeinig, cyfrifir hwy o bwysigrwydd rhyngwladol. Mae'n hanfodol bod yr amrywiaeth yma'n cael ei gadw a'i ddiogelu ar gyfer y rhai a ddaw ar ein holau. Mae angen cadw'r cynefinoedd a chynnal arolygon eto i sicrhau darlun mwy cynhwysfawr, a cheisio deall pam mae niferoedd rhai adar yn gostwng ac astudio pa welliannau i gynefinoedd sydd eu heisiau. Dylid cael cytundeb rhwng gofynion amaethyddol, bywyd gwyllt a chadwraeth tirlun, a sefydlu strategaeth rheoli i amddiffyn y darn o dir gwerthfawr hwn.

Hanes Cynnar (cyn 1750):
Oes yr Haearn a'r Oesoedd Canol

Yn aml, nid oes ffiniau pendant i nodweddion treftadaeth a dylid edrych ar dystiolaeth archeolegol yn ei chyfanrwydd ac nid ar safleoedd unigol. Ffin gymharol ddiweddar sydd i'r comin heddiw ac felly byddai trigolion llawer safle, sydd bellach yr ochr isaf i'r comin wedi defnyddio tir y comin. Dengys y dystiolaeth archeolegol fod crynhoad o'r olion o weithgaredd dynol yn ne-orllewin a de-ddwyrain y comin ac yn yr ardal sydd bellach wedi ei chau gan y tyddynnod.

Tyfai coed derw, cyll, drain a bedw o lan y môr hyd at tua 600m, gyda gwern a chorsydd dyfnion yng ngwaelod y dyffrynnoedd. Felly sefydlwyd anheddau, nid yn y dyffrynnoedd, ond ar y llethrau, ble nad oedd y gorchudd o goed mor drwchus, ac felly roedd yn haws i'w glirio i sefydlu porfa. Mae'r rhan fwyaf o olion cyfanheddu o Oes yr Haearn i'w gweld mewn strimyn rhwng 150m a 300m uwchlaw'r môr, yn glystyrau o gytiau a chaeau bychain, bryd hynny yma ac acw yng nghanol y coed. Ceir tystiolaeth y tyfid haidd a'i gynaeafu â chryman neu bladur. Stribedi ar oledd oedd y caeau yn aml. Cedwid gwartheg tebyg i'r Fuwch Fyrgorn Geltaidd, defaid tebyg i rai *Soay* fel ag a welir ar Ynys Llanddwyn, moch, merlod, a chŵn i hela a bugeilio. Byddai anifeiliaid gwyllt megis bleiddiaid, eirth, neu gathod gwyllt yn gallu bygwth anifeiliaid y fferm, a gellid hela baeddod a cheirw. Câi'r trigolion lefrith, menyn, caws, gwlân a lledr o'u da. Un o'r prif wyliau fyddai *Samain*, y Calan Gaeaf, pryd y cesglid y stoc gan gadw rhai dros y gaeaf ar gyfer eu magu a lladd y gweddill er mwyn halltu'r cig at y gaeaf. Ar adeg *Beltaine*, Calan Mai, anfonid y stoc allan i bori, ar ôl eu gyrru drwy dân i'w puro. Trefn ddigon tebyg i'r trawstrefa diweddarach mewn gwirionedd.

Mae llethrau is Moeltryfan a Mynydd y Cilgwyn, ar diroedd yr hafotai, yn frith o olion cynhanesyddol, yn gytiau a chaeau, yn enwedig i'r gogledd a'r de o Rostryfan. Ceir olion hefyd ar lethrau Mynydd Mawr yn ardal Llyn Ffynhonnau, Caeronwy a'r Gelli. Mae'r ardal hon gyda'r orau yng ngogledd Cymru am olion cynhanesyddol o ran eu nifer a'u cyflwr da. Nododd Ymddiriedolaeth Archaeolegol Gwynedd dros ddeugain o safleoedd ar y comin, a nifer helaeth o safleoedd pwysig ar dir y tyddynnod.

Safleoedd archeolegol:

1. Pentre
2. a 3. Ffynnon Garmon, amgaead
4. capel G16 efallai. Dw. o Ff.G.
5. corlan Ff.G.
6. Moel Smytho
7. maen hir
8. hafod de-orll. o Tŷ Coch
9. annedd Tŷ Coch
10. Alexandra
11. dyddiad radiocarbon Moeltryfan
12. Moeltryfan
13. Bryn-fferam
14. Crown
15. Braich
16. caeau ac annedd, Maes Hyfryd
17. breuan Bryn Brith
18. cytiau
19. a 20. twmpathau llosg, Cae Forgan
21. 22. a 23. cytiau hirion ger Cae Forgan
24. carnedd bedd Twrog, heb ei leoli
25. carnedd Cilgwyn
26. claddfa, heb ei lleoli, Cilgwyn
27. cylchoedd cytiau, Gelli Ffrydiau
28. cytiau, Castell Caeronwy
29. cwt platfform
30. carnedd M. Mawr
31. tŷ platfform Brithdir Mawr
32. a 33. Castell Cidwm
34. carnedd, Cwm Bychan
35. lefelau, Craig Cwm Du
36. a 37. Cwm Du
38. llociau, ôl Oesoedd Canol
39. corlan, Cwm Du
40. lefel, Cwm Du
41. lefel Pen-y-gaer

(Ymddiriedolaeth Archeolegol Gwynedd, rhifau fel ar fap rhif 2, tud. 23)

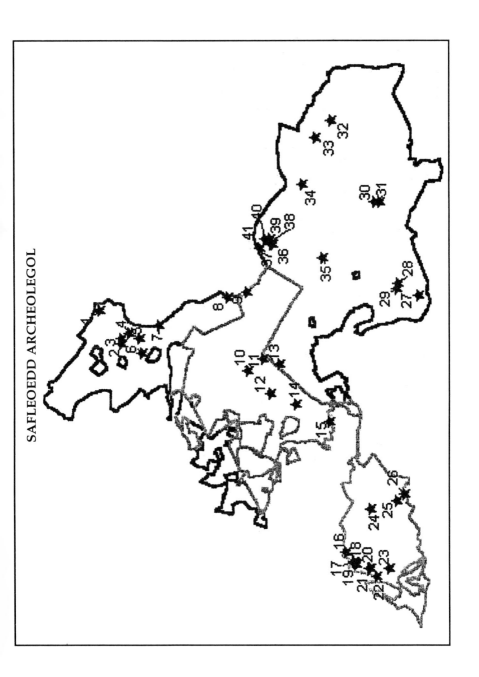

SAFLEOEDD ARCHEOLEGOL

Gwelir nifer o safleoedd eraill yn yr ardal amgylchynol, yn enwedig i'r gogledd a'r gogledd-orllewin ar dir rhwng 200-300m, e.e. o gwmpas Rhostryfan a Rhosgadfan:

Hafoty Wernlas – amgaeau crwn, cytiau a chaeau (SH501582).
Coed-y-brain – clwstwr o gytiau (SH493572).
Hafoty Tŷ Newydd – cytiau amgaeëdig (SH497571).
Gaerwen – clwstwr o gytiau (SH500582).
Cae-hen – clwstwr o gytiau amgaeëdig (SH501585).
Pen-bryn-bach – clwstwr o gytiau amgaeëdig (SH511584).
Pen-y-bryn – cytiau (SH510585).
Yr Erw – clwstwr o gytiau (SH506589).
Cae'rodyn – cytiau a chaeau (SH495573).
Bodgarad – cytiau (SH503583).

Yn ardal y Fron:
Castell Caeronwy – cytiau amgaeëdig, amgaeau crwn.
Creiriau yn dyddio o Oes yr Haearn a'r Oesoedd Canol yn ne-ddwyrain y comin, eto o gwmpas Castell Caeronwy.

Oherwydd presenoldeb cynifer o safloedd anheddau yn dyddio o Oes yr Haearn, mae'n debyg i gyfran sylweddol o'r gorchudd o goed naturiol gael ei glirio bryd hynny hyd yn oed, ar gyfer toi, tanwydd, celfi ac arfau, ac i greu porfa i'r anifeiliaid.

Gall rhywun synhwyro rhyw bresenoldeb, rhyw barhad oesol wrth gerdded y llwybrau lle cerddodd ein cyndeidiau ers dwy fil o flynyddoedd a rhagor.

Trawstrefa – Hafotai a Hendrefau

Yn yr Oesoedd Canol, prif ddefnydd y tir a gwmpasir gan y comin heddiw fyddai porfa i'r da byw. Ychydig o ddefaid a gedwid bryd hynny, ac eithrio mewn mynachlogydd, ond cedwid llawer o wartheg, a byddai ganddynt ddau gartref, yr Hendre dros y gaeaf a'r Hafod neu Feifod dros yr haf (cym. Meifod a *Beltaine*). Symudid yno ar Galan Mai, gan nodi'r gwartheg fel y gweir â defaid heddiw, er mwyn i bawb adnabod eu heiddo ar y rhosydd a'r mynyddoedd agored. Felly, ceid y ffermydd llawr gwlad, yr hendrefau, ble tyfid y cnydau, ac yna'r hafotai perthynol ar dir pori uwch.

Ceir tystiolaeth amlwg o hyn yn enwau'r ffermydd o gwmpas Rhostryfan a Charmel, e.e. Wernlas a Hafoty Wernlas, Pen-y-bryn a Hafoty Pen-bryn, Hafoty Newydd, Hafoty Wen, Hafod Lwyfog a Hafod Talog. Sylwer bod yr hen hafotai yma ar dir is na'r tyddynnod a godwyd yn ddiweddarach; bryd hynny byddai'r hafod ar ffin y rhostir agored. Byddai clirio coed i greu mwy o borfa, ar gyfer tanwydd, ffensio ac adeiladu, wedi parhau yn y cyfnod yma.

Trefnwyd ffermydd llawr gwlad plwyfi Llanwnda a Llandwrog yn unedau tebyg iawn i'r hyn ydynt heddiw dros bedair canrif yn ôl, tua chanol yr unfed ganrif ar bymtheg. Parhaodd sefyllfa felly tan tua 1750 pan ddaeth newid dramatig:

> . . . roedd y tir uwchlaw y tir llafur ar y gwaelodion yn dir agored a gwyllt, ac yr oedd felly i gopäon y mynyddoedd, llawer ohono yn dir mawnoglyd a gwaundir, ond llawer ohono yn dir porfa, caled a gweddol lwm yr oedd dichon ei wella yn weddol rwydd, a'i ennill yn dir y gallesid codi mân dyddynnod arno . . . a dyma'r tir gwyllt rhwng 700 a 900 troedfedd uwchlaw'r môr y sefydlwyd arno gan y tyddynwyr cynnar ar hyd godreon bryniau Cymru, lle'r oedd diwydiant, yn blwm a llechfaen a glo . . . Yr oedd yn ddatblygiad arbennig yng nghyrrau Bethesda, Llanberis a Nantlle a'r cyrion, yn ardaloedd llechi Arfon.

Dyna ddywed un o'n harbenigwyr pennaf yn y maes, Dr R. Alun Roberts yn ei ddarlith *Y Chwarelwr Dyddynnwr yn Nyffryn Nantlle*.

Daeth y drefn i ben gyda chau'r tiroedd comin. Daeth yr hafotai yn ffermydd mynyddig a daeth newid sylweddol o gadw gwartheg i gadw defaid, a oedd yn haws eu cynnal dros y gaeaf ar dir gwael.

Perthnasau i deuluoedd yr hendrefau oedd yn byw yn yr hafotai yn yr ardal ble mae Rhostryfan heddiw, hyd at 1835 o leiaf, sy'n awgrymu bod y drefn wedi parhau tan ddechrau'r bedwaredd ganrif ar bymtheg, e.e. meibion Wernlas Ddu yn Hafoty Wernlas, teulu Pen-y-bryn yn Hafoty Pen-bryn, a theulu Tŷ Newydd yn Hafoty Tŷ Newydd.

Straeon Gwerin

Mae amryw o straeon gwerin yn gysylltiedig â'r comin yn dyddio o amser yr hafod a'r hendre. Dyma ddetholiad byr:

Castell Cidwm

Dywedir i Gidwm, mab Macsen Wledig ac Elen Luyddawg, guddio ar y graig uwchlaw Llyn Cwellyn gyda'r bwriad o ladd ei frawd fel y deuai heibio gyda gosgordd o filwyr. Pan gododd Cidwm i anelu'r saeth, gwelwyd ef gan un o'r milwyr a gwaeddodd hwnnw, 'Llech yr olaf'. Felly y rhwystrwyd bwriad Cidwm. Castell Cidwm yw enw'r graig hyd heddiw, yn ogystal â'r tŷ bwyta ar lan y llyn, ac roedd tyddyn o'r enw Llech yr Olaf gerllaw.

Rhos y Pawl

Syrthiodd gwas y Gelli mewn cariad â merch Talymignedd ond gwrthodai ei thad iddynt briodi. Wedi alaru ar swnian y mab, rhoddodd gŵr Talymignedd amod iddo, y câi briodi ei ferch pe arhosai allan dros nos yn noethlymun ar y ffridd, a hynny ym mis Ionawr. Tybiai'r tad y byddai arno ofn mentro neu y trengai yn yr ymdrech. Ond trawodd y mab ar syniad campus: aeth â pholyn hir a gordd drom efo fo i'r ffridd. Cadwodd ei hun rhag rhewi drwy daro'r polyn â'r ordd a gafael am y pren cynnes bob yn ail drwy'r nos. Llwyddodd, ac fe briododd y ddau. Rhos y Pawl yw enw'r rhostir rhwng Llyn Ffynhonnau a'r Gelli hyd heddiw.

Gwas y Gelli

Cysylltid lleoedd anghysbell, ac yn enwedig llynnoedd mynyddig, â'r tylwyth teg. Aeth gwas y Gelli (un arall mae'n debyg) i fyny at Lyn Ffynhonnau i fugeilio. Pan gyrhaeddodd gwelodd dwr o'r tylwyth teg yn dawnsio'n llon. Aeth atynt a chafodd ei hudo i'r cylch. Bu'r gwas a'i gi yn dawnsio'n barhaus am dridiau. Yn ffodus daeth hen ŵr heibio ac estynnodd ei ffon griafol i mewn i'r cylch a llwyddodd i dynnu'r gwas yn rhydd.

Diwydiant (ers 1750): Y Chwareli Llechi

Y sefyllfa cyn 1750

Byddai ychydig o gloddio achlysurol am lechi ar lethrau'r Cilgwyn ond amaethyddol fyddai prif ddefnydd y comin, gyda gwartheg, defaid, geifr a merlod yn pori arno. Deuai ffermwyr gwaelod y plwy i godi mawn yma. Ardal brin ei phoblogaeth felly, gyda'r ffermydd llawr gwlad, yr hafotai ar y rhostir a'r tir comin yn ymestyn yn is o lawer nag y gwna heddiw.

Bu twf y diwydiant llechi yn ffactor allweddol yn ffurfiant tirlun presennol y comin. Agorwyd rhes o chwareli o Foeltryfan i Fynydd y Cilgwyn ac fe bery'r rhes tua'r de-orllewin i Ddyffryn Nantlle. Mae tystiolaeth o godi llechi o'r llechfaen a frigai yma cyn belled yn ôl â chyfnod y Rhufeiniaid yn Segontium a cheir tystiolaeth bellach sy'n nodi bod to llechi ar Dŷ Mawr, Nantlle pan arhosodd Edward y Cyntaf yno yn 1284. Ond cloddio ysbeidiol, a hynny i godi cerrig a oedd yn agos i'r wyneb a ddigwyddai yn unig. Agorid chwareli bychain o bryd i'w gilydd i gyflenwi anghenion lleol, ac yn achlysurol cludid y llechi i lawr i'r Foryd, ac yn ddiweddarach i Gaernarfon ar gyfer eu hallforio un ai i drefi Lloegr neu i Iwerddon. Natur ysbeidiol oedd i'r gwaith; doedd dim cyflogaeth barhaol, heb gelfi pwrpasol a heb gyfalaf y tu cefn i'r fenter. Ni ellid ei alw'n ddiwydiant fel y cyfryw bryd hynny.

Erbyn y ddeunawfed ganrif, ac o ganlyniad i'r Chwyldro Diwydiannol, golygai twf sydyn trefi a dinasoedd drwy Brydain ac Ewrop fod galw mawr am ddeunydd toi. Cyn hyn nid oedd na chludiant na threfn i'r cloddio ysbeidiol, ond dechreuodd y chwarelwyr ehangu eu gorwelion. 'Doedd Caernarfon ond chwe milltir o'r Cilgwyn ac er mai ffyrdd trol anwastad oedd yno, gellid cludo llechi ar sleddiau neu ar gefn ceffylau.

Dyddia dechreuad y diwydiant llechi go iawn i'r cyfnod rhwng 1750 ac 1800 pan ymunodd chwarelwyr unigol â mentrau cydweithredol, gan ddechrau cloddio o ddifri i'r ddaear i chwilio am garreg rywiog. Araf iawn fu datblygiad trefn a chynnydd materol ym mywydau'r chwarelwyr cynnar.

A grim light is thrown on conditions in these seemingly flourishing regions by the part quarrymen played in the recurrent food riots at Caernarvon in the middle years of the century. In 1752 a mob of

*quarrymen from Cilgwyn and Rhostryfan swarmed into the town to raid
the grain granaries there, and in the ensuing armed scuffle with the
authorities two men were killed . . . Hunger was never far below the
surface while agriculture and industry remained undeveloped; and they
could never develop so long as the local gentry most capable of infusing
capital and enterprise into them diverted these into other channels.*

A History of Caernarvonshire, A.H. Dodd

Bu'r bedwaredd ganrif ar bymtheg yn gyfnod o ddatblygu cyflym i'r
diwydiant, gyda chynnydd sylweddol yn y boblogaeth o'r herwydd.
Roedd bron i bedair gwaith yn fwy o bobl yn byw ym mhlwyfi
Llanwnda, Llanllyfni a Llandwrog yn 1891 o'i gymharu ag 1801.
Cynnydd aruthrol a weddnewidiodd ardal wledig, amaethyddol,
brin ei phoblogaeth, i fod yn ardal ddiwydiannol, boblog mewn dim
o dro. Ond ni chollwyd mo'r elfen wledig, amaethyddol yn llwyr, fel
ag a ddigwyddodd mewn sawl ardal arall yn sgîl y Chwyldro
Diwydiannol, elfen arbennig a berthynai i'r ardaloedd chwarelyddol
ac elfen a fu'n bwysig yn ffurfiant cymeriad unigryw y gymdeithas
honno. Oherwydd y ddeuoliaeth rhwng diwydiant trwm a'r
ymlyniad at gefn gwlad, y symud i mewn o ardaloedd gweddol
gyfagos yn bennaf, a thwf nifer fawr o bentrefi yn hytrach nag
ychydig o drefi mawr, ni fu Seisnigeiddio yma fel mewn mannau
eraill ble datblygodd diwydiannau trwm.

Poblogaeth y plwyfi 1801-1991:

Plwyf	1801	1851	1891	1971	1991
Llanwnda	826	1607	1954	1655	1855
Llanllyfni	812	2010	4968	3635	4137
Llandwrog	1175	2823	3180	2325	2456
Cyfanswm	2813	6440	10102	7615	8448

Llechi Lleu, D. Tomos a *Chyfrifiad 2001*

Y prif chwareli o fewn y comin neu'n ffinio ag ef oedd y canlynol:

Chwareli Comin Uwchgwyrfai:

Chwarel	Agorwyd	Nifer a gyflogid
Moeltryfan	tua 1809	81 (1882)
Alexandra	tua 1862	140 (1870)

Y Fron	tua 1810	80 (1873)
Braich	tua 1830	140 (1873)
Cilgwyn	tua 1700	300 (1882)
Pen-yr-orsedd	tua 1816	442 (1892)

A History of the North Wales Slate Industry, Lindsay

Dyma ychydig o fanylion am y chwareli. (Nid wyf yn ymhelaethu gan fod digon wedi ei ysgrifennu amdanynt eisoes. Digon i'n hastudiaeth o'r comin yw nodi bodolaeth y chwareli a'r effaith a gawsant ar y comin a'r ardal oddi amgylch.)

Alexandra neu Gors y Bryniau (SH 519569)

Ar ochr ddwyreiniol Moeltryfan. Ffurfiwyd cwmni yn 1862 gyda chyfalaf o £15,000 ac fe gyflogid tua 140 o ddynion. Y cynnyrch blynyddol yn 1874 oedd 6000 tunnell ac fe ffurfiwyd cwmni newydd. Cymerwyd awenau'r gwaith gan yr *Amalgamated Slate Association Ltd* yn 1918 a chan y *Caernarvonshire Crown Slate Quarries Company Ltd* yn 1932. Caewyd y chwarel yn 1934 ond bu gweithio o'r Foel i Dwll Mawr y Gors yn ddiweddarach.

Braich (SH 509559)

Ar fraich dde-orllewinol Moeltryfan. Dechreuwyd cloddio yn 1833, ailagorwyd yn 1860 gan gwmni preifat, ac erbyn 1873 cyflogid 140 o ddynion. Un twll mawr gyda thair lefel oedd y chwarel a chludid y llechi ar ffordd haearn a osodwyd wrth ochr chwarel y Cilgwyn, cyn gwneud y lein i'r Bryngwyn yn 1877. Daeth y gwaith i ben tua 1914 tra oedd cwmni Cors y Bryniau yn gweithio ynddi.

Cilgwyn (SH 498538)

Ar ochr dde-ddwyreiniol Mynydd y Cilgwyn. Dyddia o'r ddeuddegfed ganrif a honnir mai hon yw chwarel hynaf Cymru! Yn 1745 llwyddodd John Wynn o Lynllifon i sicrhau les ar y chwarel gan y Goron am 31 mlynedd ond ni fusnesodd â'r chwarelwyr cynhenid, heblaw am godi grôt y pen y flwyddyn o ardreth arnynt. Yn 1800 cymerodd y Cilgwyn a'r *Cefn Du Slate Co.* y les (sef John Evans twrne, Caernarfon, mab Talmignedd-ganol) a bu ymladdfa rhyngddo a'r

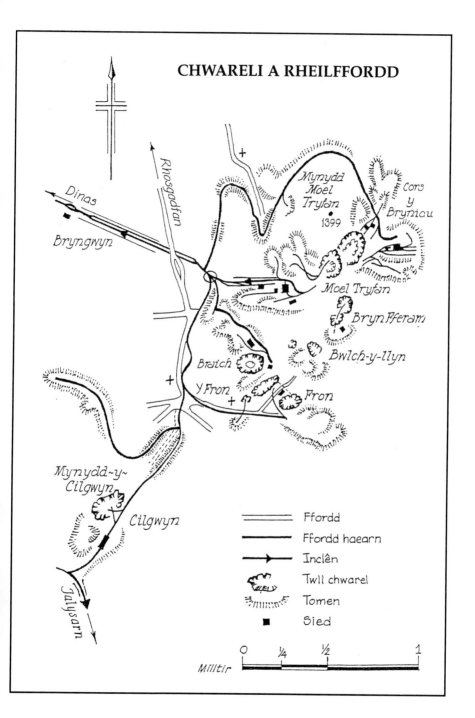

CHWARELI A RHEILFFORDD

Dinas

Rhosgadfan

Bryngwyn

Mynydd
Moel
Tryfan
1399

Cors
y
Bryniau

Moel Tryfan

Bryn Fferam

Bwlch-y-llyn

Braich
y Fron

Fron

Mynydd-y-
Cilgwyn

Cilgwyn

Talysarn

═══════	Ffordd
━━━━━━━	Ffordd haearn
──────▶	Inclên
🪨	Twll chwarel
░░░░░░	Tomen
■	Sied

Milltir   0   ¼   ½   1

chwarelwyr am bymtheg mlynedd hyd nes y goresgynodd ef ei gydddyn. Yna, o 1835 hyd at 1845, bu ym meddiant Sais o'r enw Mr Muskett a aeth yn fethdalwr ar ôl adeiladu a gwario mawr, e.e. Plas y Cilgwyn, yr hyn oll a ysbeiliwyd gan y gweithwyr a oedd heb gael eu talu ers misoedd lawer. Bu'r dynion yn gweithio'r chwarel 'heb hawl' y Goron – a oedd yn berffaith iawn yn eu tyb hwy – megis eu cyndeidiau, ond yn y diwedd carcharwyd saith ohonynt. Tua 1849 daeth *Hayward & Co.* o Groesoswallt i weithio'r chwarel, a buont yno tan 1918 pan unwyd y gwaith â'r Foel a'r Gors gan yr *Amalgamated Slate Association Ltd* o Gaernarfon. Caewyd y chwarel yn 1930 nes i'r *Caernarvonshire Crown Slate Quarries Ltd* (Owen Owens, Talmaes, J.J. Riley a Lancaster) i'w gweithio yn 1932. Caewyd y chwarel unwaith yn rhagor yn 1958 ond bu cryn weithio ar y tomenni a gwnaed *dampcourse* o'r adeiladau hyd at 1964-65. Roedd pedwar twll yno, sef Faengoch, Hen Gilgwyn, Cloddfa'r Dŵr a Chloddfa Glytiau.

Fron (SH 514549)

Yn y bwlch rhwng Moeltryfan a'r Cilgwyn, ychydig i'r de-ddwyrain o chwarel y Braich. Agorwyd tua 1830; ailagorwyd yn 1860. Yn 1872 y cynnyrch oedd 1500 tunnell, ac yn 1873 cyflogid 80 o bobl. Roedd inclên o ffordd haearn y Cilgwyn er mwyn cludo llechi o'r Fron at ffordd haearn Nantlle ond nis defnyddiwyd hi ar ôl 1881. Yn 1868 unwyd â chwarel Hen Fraich a chyflogid 62 yn 1882. Yn 1937 gweithid y chwarel gan O.J. Hughes a'i Fab gan gyflogi saith. Caeodd tua 1950.

Moeltryfan (SH518567)

Yn ochri â chwarel Cors y Bryniau. Agorwyd tua 1800 gan Mesach Roberts o dan les o'r Goron i John Evans a'i Bartneriaid. Bu gweithio yno ar raddfa fechan dros y deg a thrigain mlynedd nesaf, ar un adeg yn unol â chwareli Cloddfa'r Lôn a Phenbryn, Nantlle. Yn 1876 daeth cwmni Cymreig o Gaernarfon i weithio yno tan 1918 pan aeth yn rhan o'r *Amalgamated Slate Co.* ac yn 1932 cymerodd y *Caernarvonshire Crown Slate Co.* feddiant o'r lle. Cyflogid 12 yn 1972 pan ddaeth y gwaith i ben.

Pen-yr-orsedd (SH 505540)

Ar lethrau isaf Mynydd y Cilgwyn, y tu isaf i Chwarel y Cilgwyn.

Agorwyd oddeutu 1816 gan William Turner. Erbyn 1854 fe'i gweithid gan John Lloyd Jones ac yn 1863 prynwyd y lle gan W.A. Darbyshire & Company gyda chyfalaf o £20,000. Gwariwyd yn helaeth heb fawr i ddangos amdano am sbel, ond erbyn 1882 cynhyrchai 7999 tunnell a chyflogai 261 o bobl. Erbyn 1892 roedd 445 o weithwyr yno a'r cwmni'n nodedig am ei ofal o'r gweithwyr. Yn 1945-6 cynhyrchwyd 3431 tunnell ac yn 1972 cyflogid 20. Yn 1979 prynwyd y gwaith gan Gwmni Llechi Ffestiniog (T. Glyn Williams) a'i gwerthodd yn 1997 ar ôl cwymp enfawr yn y twll. Mae'r chwarel yn awr (yn 2003) yn eiddo i gwmni *McAlpine*, gyda phedwar yn gweithio yno yn codi cerrig gwyrdd a'u hanfon i'r Penrhyn i'w prosesu.

Roedd y diwydiant yn ei anterth erbyn 1886 fel y dengys yr ystadegau canlynol:

Chwarel	Cynnyrch 1886	Nifer gweithwyr 1886
Pen-yr-orsedd	£14800	390
Cilgwyn	£21000	318
Fron	£3000	8
Moeltryfan	£7400	150
Alexandra	£16900	230
Bryn Fferam	dim	2
Cyfanswm	**£63100**	**1198**

Chwareli Dyffryn Nantlle a Chymdogaeth Moeltryfan, John Griffith, 1889

Roedd £63000 yn swm aruthrol yn 1886, ac ar ben y 1200 yn y chwareli hyn cofiwch fod nifer da o chwareli eraill ar lawr y dyffryn. Roedd chwareli eraill yn Nyffryn Nantlle o fewn cyrraedd trigolion ardal ein hastudiaeth, a gwyddwn fod rhai yn teithio cryn bellter o'u tyddynnod neu bentrefi i weithio yn y chwarel.

Byddaf yn dibynnu i raddau helaeth ar atgofion Kate Roberts a llenorion eraill a fagwyd ar dyddynnod yr ardal o hyn ymlaen – atgofion sy'n cwmpasu cyfnod o ail hanner y bedwaredd ganrif ar bymtheg hyd at chwarter cyntaf yr ugeinfed ganrif. Pa well ffordd o ddysgu am gyfnod yn hanes ardal na darllen atgofion llygad-dystion, a gwell fyth os yw'r rhain ymysg goreuon ein llenorion?

Bu taid, tad ac ewythr Kate Roberts yn gweithio yn chwarel y Cilgwyn, tua thair milltir o'u cartrefi yng Nghae'r Gors a Bryn Ffynnon yn Rhosgadfan, er bod chwareli eraill ar Foeltryfan yn nes o lawer. Chwe milltir y dydd o gerdded, chwe diwrnod yr wythnos, yn ogystal â gwneud yr holl waith tyddyn!

Ni chafodd ysgol ar ôl pasio ei naw mlwydd oed . . . Ond bore trannoeth ar doriad y dydd, yr oedd fy nhad yn cychwyn gyda'i frawd dyflwydd yn hŷn, a'i dad am chwarel y Cilgwyn. Bu'n gwneud y daith honno am yn agos iawn i hanner canrif.

Y Lôn Wen, Kate Roberts

Byddai ei thad wedi dechrau gweithio yn y Cilgwyn yn 1860 a gweithiodd yno tan 1907. Wrth hel ei hatgofion yn *Y Lôn Wen* dywed Kate Roberts iddi ddod ar draws cerdyn coffa ag iddo ymyl ddu, a elwid yn *mourning card* ganddynt, ac arno'r geiriau hyn:

Er parchus goffadwriaeth
am
ROBERT OWEN ROBERTS
Bryn Ffynnon, Rhos Cadfan,
Yr hwn a fu farw
(trwy ddamwain)
Rhagfyr 23ain, 1861
Oed, 12 mlwydd

Profwyd doethineb rhyfedd – Duw Iôn mawr
Yn myn'd a'n mab hoyw-wedd;
Am fis bron mewn gogonedd –
Cantor fu, cyn torri'i fedd.

Dewi Arfon

Cofiaf fod y cerdyn hwn wedi ei fframio, a llun y bachgen deuddeng mlwydd oed dan y cerdyn, ac yn crogi dan y pared yn fy hen gartref ar un adeg.

Lawer gwaith y clywsom ni am y ddamwain hon gartref, gan fy nain a'm taid. Yr oedd fy nhad, er nad oedd ond deg oed, yn gweithio yn y chwarel ers blwyddyn. Y noson cyn y ddamwain, sef nos Sul, aeth fy nhad a'i frawd allan, i'r beudy neu rywle, mynd i gadw cwmni i'w frawd oedd fy nhad gan ei bod mor dywyll, ac yn sydyn fe sgrechiodd rhyw aderyn mawr wrth eu pennau. Yr oedd y sgrech mor annaearol nes codi ofn arnynt, ac wedi mynd i'r tŷ, dywedodd Robert wrth ei fam nad oedd am fynd i'r chwarel drannoeth, oherwydd y sgrechfeydd a glywsai. Yr oedd yn gweithio yn y twll, er ei ieuenged, a daeth cwymp mawr o graig i lawr a'i gladdu dani. Buwyd fis heb gael ei gorff, dyna ystyr 'Am fis bron mewn gogonedd' yn englyn Dewi Arfon. Y rheswm am hynny ydoedd, fel y deallwyd wedyn, fod gwynt y cwymp wedi taflu'r bachgen lathenni lawer o'r man lle safai, a hwythau yn chwilio amdano yn y fan honno, ac yn lluchio mwy o'r graig arno, mae'n siŵr. Ymhen blynyddoedd, wedi llwyr glirio'r cwymp daeth fy nhaid o hyd i glocsen Robert.

Y Lôn Wen, Kate Roberts

Mae'r frawddeg olaf ar ffens grawia yn safle Gwerin y Graith ym Mharc Glynllifon, safle i gofio am lenorion ardaloedd y chwareli. Claddwyd Robert ym mynwent Horeb, Rhostryfan. Tybed ai aderyn corff a glywson nhw? Meddyliwch am y tad a'r brawd yn gorfod gweithio yno a'r corff yn parhau o dan y rwbel. Euthum â chriw o gerddwyr Cymdeithas Edward Llwyd ar daith i ddilyn llwybrau Kate Roberts, gan fynd i mewn i fynwent Rhosgadfan i weld carreg fedd rhieni Kate Roberts. Roedd dau fachgen ifanc deg a deuddeg oed ar y daith gyda ni, a bu eu gweld nhw mor fychan ac ifanc wrth ochr y garreg yn ddigon i yrru iasau i lawr ein cefnau y prynhawn hwnnw.

Profiadau tebyg sydd gan Thomas a Gruffudd Parry yn eu hatgofion o'u plentyndod hwythau ar dyddyn y Gwyndy ar gyrion pentref Carmel ddechrau'r ugeinfed ganrif:

ENWAU CAEAU Y GWYNDY

1. Cae cefn tŷ
2. Cae winllan eithin
3. Cae talcen gadlas
4. Cae bach
5. Cae pella
6. Cae isa
7. Cae o flaen drws

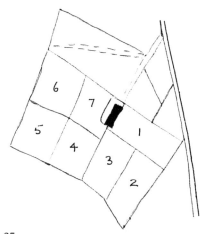

Yn Nhwll Coch Dorothea yr wyf fi'n cofio fy nhad yn gweithio y rhan fwyaf o'r amser. Yn yr haf byddai'n cychwyn am chwarter wedi chwech yn y bore dros ysgwydd Mynydd y Cilgwyn hyd lwybrau caregog i lawr i Dal-y-sarn, er mwyn bod yn ei fargen erbyn 'caniad', sef saith o'r gloch, ac yr oedd ganddo ddeng munud o waith cerdded o lan y twll i lawr yr ystolion i'w fargen. Creigiwr oedd ef, a'i orchwyl oedd tynnu'r graig oddi ar ei gwely yn y dull mwyaf darbodus, fel y câi ei bartner yn y sied nifer da o lechi ohoni.

Tŷ a Thyddyn, Thomas Parry

Anghydfod Agor a Chau

Fel y dywedwyd eisoes, dechreuwyd cloddio am lechi ar y comin gan unigolion ac yna gan bartneriaid a unodd i godi'r cerrig a oedd yn agos i'r brig. Anodd ar y naw yw dychmygu sut le oedd yma bryd hynny, yng nghanol y tyllau a'r tomenni enfawr sydd o'n cwmpas bellach.

Mewn cofnod am y flwyddyn 1719 gwelir bod trigolion plwy Llandwrog yn codi yn erbyn gwaith rhai dynion o'r plwy hwnnw, yn gystal ag o blwyfau Llanwnda, Llanbeblig a Chlynnog, yn tyllu'r ddaear ar y comin ym Mynydd y Cilgwyn a thrwy hynny'n tyllu'r arwynebedd oedd yn borfa rydd i blwyfolion Llandwrog. I bobl eiddigeddus o'u hawliau nid oedd gwaith cymdogion a dieithriaid yn tyrchu'r mynydd yn beth y gellid ei adael yn ddisylw, ac erbyn 1719 yr oedd gymaint o gloddwyr yn cyrchu i'r lle a chyda'u harfau gwaith yn agor wyneb y mynydd fel y tybiai'r plwyfolion ei bod yn bryd atal y gwaith.

Ar y dydd cyntaf o Ragfyr bu cryn helynt yn y lle, a throes y chwarelwyr eu harfau gwaith yn arfau brwydr. O'r herwydd gwysiwyd hwy i ymddangos gerbron y Sesiwn Chwarter yng Nghaernarfon.

Yr oedd 'cloddfa deils' ar fynydd y Cilgwyn, yn ôl y cyhuddiad, yn peri niwed a cholled i blwyfolion Llandwrog, ac yn cyfyngu ar eu hen hawliau oesol.

O gofio bod, o leiaf, ddeg ar hugain o gloddwyr wedi eu gwysio gellir yn rhesymol ystyried bod cryn gloddio yn y Cilgwyn erbyn 1719, a bod y gwaith yn cynyddu beunydd. Ni byddai'n afresymol i ni dybied ychwaith bod y gwaith yn myned ymlaen ar raddfa lai ymhell cyn y flwyddyn honno. Oherwydd y cynnydd mewn masnacha ddaeth ar ôl i'r wlad gael ymwared oddi wrth orthrwm y Stiwardiaid cododd bywiogrwydd mewn gwahanol fwynfeydd yn y broydd, ac efallai mai dylanwad y bywiogrwydd hwnnw a barodd i gyfoeth mynydd y Cilgwyn dderbyn sylw rhai o drigolion y fro. Gwyddys hefyd bod amgylchiadau byw yn myned yn bur galed ymhlith y werin yn nechrau'r ddeunawfed ganrif, a bod dynion oherwydd hynny dan raid i chwilio am foddion newydd i sicrhau eu bara beunyddol. O roi'r holl bethau hyn at ei gilydd credwn na fyddai'n anghywir i ni ddywedyd bod gweithio rheolaidd yn Chwarel y Cilgwyn oddi ar flynyddoedd cyntaf y ddeunawfed ganrif, a'i bod oherwydd hyn i'w hystyried y chwarel hynaf yn y Sir. Dylid cofio na roes yr helynt yn y Sesiwn Chwarter derfyn ar y cloddio yn y Cilgwyn.

Breision Hanes, W. Gilbert Williams

Wrth i'r diwydiant cynhyrchu llechi gynyddu, cymerodd y tirfeddiannwr lleol, yr Arglwydd Newborough o Lynllifon, ddiddordeb yn y mentrau. Gwelodd tirfeddianwyr amlwg chwareli'r dyffrynnoedd eraill hefyd bod modd elwa ac fe geisiasant gau'r tiroedd comin er eu dibenion eu hunain; stadau'r Penrhyn a'r Faenol fu'n fwyaf amlwg o ddigon. Dengys deiseb John Wynn o Lynllifon ar gyfer mwynfeydd a chwareli Sir Gaernarfon (dyddiedig Mai 1745) iddo sicrhau'r hawl i gloddio am lechi a mwynau ar y tiroedd comin mewn wyth plwyf, gan gynnwys Llanwnda, am 31 o flynyddoedd. Yn ystod y cyfnod hwn roedd chwarelwyr annibynnol yn helpu eu hunain i lechi.

Ymhen rhyw bum mlynedd (yn 1767) yr oedd y bwyd yn ddrud a phrin iawn yn y wlad. Y pryd hynny daeth llong yn llwythog o ŷd i Gaernarfon, a gwrthodai y capten roddi yr ŷd allan, gan ddisgwyl iddo godi. Aeth holl weithwyr y Cilgwyn i lawr i Gaernarfon i fynnu cael yr ŷd allan, a bu yn y lle gynhwrf mawr. Dywedir i un dyn gael ei ladd yn y cythrwfl. Gwnaethom y sylw hwn i ddangos fod yn y Cilgwyn y flwyddyn a nodwyd gryn nifer yn gweithio a'r dylanwad oedd ganddynt ar y wlad. Yr oedd y gweithio yn y Cilgwyn y pryd hwnnw yn cymeryd lle mewn nifer o fân dyllau yma ac acw.

Chwareli Dyffryn Nantlle a Chymdogaeth Moeltryfan,
John Griffith, 1889

Yn 1774 gwrthodwyd cais gan ei fab, Thomas Wynn, am adnewyddiad o'r les oherwydd nad oedd ei dad wedi gwneud unrhyw gyfri o'r elw. Bu'r Goron yn esgeulus o'i heiddo yn ystod blynyddoedd cynnar y ddeunawfed ganrif ond bu newid mawr pan apwyntiwyd Robert Roberts o Gaernarfon yn oruchwyliwr tiroedd diffaith a chwareli yn 1791. Gosododd fargeinion (rhan o wyneb y graig i'w gweithio) i amryw o gwmnïau o chwarelwyr a derbyniodd renti gan *'40 persons for the liberty in part of a common called Kilgwyn'*,

Lindsay. Yna datganodd yr Arglwydd Newborough ei hawl i chwareli'r Cilgwyn a gorchmynnodd ei asiant y chwarelwyr i beidio talu'r rhenti mwyach, a chytunodd pawb heblaw am bedwar. Ymosodwyd ar y pedwar a dalodd y rhent gan haid o ddynion a feddiannodd y chwarel, er cael eu rhybuddio gan Roberts. Nid oedd dewis gan Roberts ond ad-dalu arian y chwarelwyr ac yn 1795 bu achos llys i drafod hyn. Er bod les yr Arglwydd Newborough wedi dod i ben, parhaodd ei asiant i dalu a bu'n rhaid i'r Goron dderbyn yr hen rent o 10 swllt y flwyddyn tan 1790, pan y'i gwrthodwyd. Pan wrthodwyd adnewyddiad les Newborough, ni fu rhybudd ffurfiol ar iddo ildio ei hawl i'r chwareli. Yn 1794 dygwyd achos o dresmasu yn erbyn Roberts ynglŷn â chwareli ar gomin Cefn Du uwchben Waunfawr. Derbyniwyd hawliau'r Goron i'r tiroedd comin, a'r hawliau mwyngloddio gan Newborough yn 1773 ond roedd y Goron yn ymwybodol o beryglon dod ag achosion gerbron llys barn gan fod Roberts yn ceisio ei orau glas i wneud amddiffyniad y Goron yn amhoblogaidd. Yn ôl Roberts:

> . . . *the quarrymen naturally prefer holding under Lord Newborough, who has hitherto required from them an annual sum of only four pence per man which never amounted in total to more than 14s a year, a sum expended by Lord Newborough in an annual dinner for the Quarrymen.*

> Lindsay

Dyna i chi arglwydd hael! Awdurdodwyd asiantau'r Goron i osod chwareli am swm o ddim llai na phum swllt yr un.

Setlwyd yr anghydfod yn rhannol yn 1800 pan roddwyd les ar chwarel y Cilgwyn i John Evans, cyfreithiwr o Gaernarfon, a'i dri phartner pan ffurfiwyd y *Cilgwyn and Cefn Du Company*. Gorchuddiai'r Cilgwyn 150 erw o dir gyda thir caeëdig i'r de a'r de-orllewin a gynhwysai chwareli eraill. Cododd trafferthion gyda chwarelwyr a wrthodai gydnabod dilysrwydd y les, ac er i John Evans roi deuddeg rhybudd o dresmasu ni chafodd fawr o effaith. Amddiffynnodd yr Arglwydd Newborough eu hachos yn erbyn y cwmni newydd. Rhyfedd o fyd! Cyflogai'r cwmni rhwng 30 a 50 o

. . . poor labourers residing in the neighbourhood who were not able to find any employment and consequent of the high price of corn were with their families reduced to great distress, slate being the only article for export from the county of Caernarvon.

Lindsay

Golygai'r gwaith agor lefelau a chlirio sbwriel a adawyd gan y chwarelwyr blaenorol ac oherwydd hyn ni allai'r cwmni gyflogi ond ychydig o ddynion. Gwelwyd ei bod yn amhosib trechu'r chwarelwyr annibynnol a'u cefnogwr, yr Arglwydd Newborough, ac felly tarfwyd ar waith y chwarel. Adroddwyd yn 1802 fod

the quarrymen, supported by Lord Newborough, became riotous and declared that they would not quit and prevented the new lessees from working except in such parts of the quarry as they thought fit. There are 60 to 80 intruders upon Kilgwyn.

A History of the North Wales Slate Industry, Jane Lindsay

Adlewyrchir yr holl drafferthion hyn yn llyfrau cownt y chwarel:

To workmen's wages and sundries	*£627 11s 6d*
To expenditure of the present quarter	*£6 15s 2d*
By slates made	*£3 12s 6d*

Yn 1804 rhybuddiwyd y deuid â chais gerbron sesiwn nesaf y Senedd i ddod â mesur i gau tiroedd comin ym mhlwyfi Llanwnda, Llanllyfni a Llandwrog. Enwyd y tiroedd comin fel hyn: *'Clogwyn Melyn, Cilgwyn, Kim, Moeltryfan, Rhos y Gadfa, Gallt y Coed Mawr and Braich Rhydd'* ac yma yr oedd y rhan fwyaf o'r chwareli. Dyma ymgais gan y cwmni i gryfhau ei sefyllfa ac i gael gwared â thresmaswyr. Nid oedd y Tirfesurwr Cyffredinol o blaid cau; awgrymodd ef y dylid dwyn achos llys yn erbyn y tresmaswyr ac fe dderbyniwyd ei gyngor. Oherwydd bygwth achos llys yn eu herbyn, datganodd pedwar o ddynion yn 1805 na fyddent yn y dyfodol yn *'disturb or molest the partners in the possession of the said Waste Lands or in working any Quarries,'* (*A History of the North Wales Slate Industry,* Lindsay). Mae'n anodd gwneud pen na chynffon o'r holl gybolfa o ddigwyddiadau! Ond dyma un hanesyn difyr sy'n profi y gallai tyddynwyr tlawd drechu'r tirfeddiannwr cyfoethog, gyda thipyn bach o gymorth:

Llwyddodd Stadau y Faenol a'r Penrhyn i feddiannu cannoedd o aceri o diroedd comin o ganlyniad i'r Mesur Tir yn nechrau'r bedwaredd ganrif ar bymtheg. Ond methu a wnaeth Stad Glynllifon er iddi geisio cau'r holl diroedd comin ym mhlwyfi Llandwrog a Llanwnda yn 1826. Cysylltodd y tyddynwyr yno yn ddi-oed â Griffith Davies . . . cyfrifydd enwog yn Llundain a chanddo gyfeillion ymhlith pobl o bwys yn y ddinas . . . mab i un o ddyddynwyr Mynydd y Cilgwyn, (Beudy isa yr ochr ucha i'r Groeslon) . . . a rhoes yntau ei gyfeillion ar waith i wrthwynebu'r Mesur yn y Senedd. Cynghorodd Griffith Davies y tyddynwyr i wneud Deisyfiad at y Senedd am gael cadw eu cartrefi.

Dywedasant mai chwarelwyr oedd y rhan fwyaf ohonynt, a'u bod wedi adeiladu tai ar y comin, rhai ers deugain mlynedd gan dybied mai tir heb ei feddiannu oedd . . . a bod yno yn awr 141 o dai, ac yn agos i 700 o bobl yn byw ynddynt; mai tir caregog diffrwyth oedd y mynydd, nad oedd yn werth y nesaf peth i ddim nes iddynt hwy, drwy lafur caled ar ôl gorffen eu diwrnod gwaith, ei ddigaregu, ei drin a'i wrteithio . . . eu bod wedi clywed bod mesur i gau'r tir comin i ddyfod gerbron y Senedd . . . A'u bod yn ofni eu bod wedi troseddu hawliau'r Goron yn ddiarwybod; . . . a gofynnent am gael cadw eu tai a'u tiroedd, a thalu rhent i'r Goron yn ôl beth oedd gwerth y tir cyn iddynt hwy ei ddiwyllio.

Cynhaliodd Cymry Llundain gyfarfodydd i gefnogi'r tyddynwyr hyn, a chyhoeddwyd yr areithiau yn y *Times*. Trefnodd Griffith Davies i gyhoeddi eu Deisyfiad, ac anfon copïau i aelodau'r Senedd, a phobl bwysig eraill, a cheisiodd aelodau i'w gyflwyno i Dŷ'r Cyffredin ac i Dŷ'r Arglwyddi. Casglwyd cronfa a threfnodd tri cyfreithiwr Cymreig yn Llundain i'w hamddiffyn.

Yn y diwedd, pan ddaeth yn amser ail ddarlleniad y Mesur, tynnodd Arglwydd Newborough ef yn ôl 'am fod gwrthwynebiad cryf iddo'.

I ddangos eu diolchgarwch, darllawodd tyddynwyr Mynydd y Cilgwyn gasgen o gwrw cartref, a'i hanfon yn rhodd i lawenychu calonnau eu cymwynaswyr yn Llundain.

Cau'r Tiroedd Comin, David Thomas

Parhaodd trafferthion tebyg am flynyddoedd; bu achos o dresmasu mor ddiweddar â 1834. Nid oedd hyn yn syndod canys cynhwysai tiroedd comin Cefn Du a'r Cilgwyn nifer helaeth o chwareli bychain y bu cloddio ynddynt yn lleol ers amser maith. Meddiannwyd nifer ohonont gan Chwarel y Cilgwyn a'u hailosod wedyn; er enghraifft, cynhwysid Chwarel Moeltryfan yn les 1825 Chwarel y Cilgwyn a roddodd ddarn ychwanegol o'r comin ym meddiant y cwmni.

Nifer o chwareli canolig neu fychan eu maint fu yn Nyffryn Nantlle, a hynny dan berchnogaeth amrywiol a chyfnewidiol, yn wahanol i Fethesda a Llanberis ble rheolid dwy chwarel enfawr yn haearnaidd gan stadau'r Penrhyn a'r Faenol. Er y gallai pryder ac ansicrwydd godi ynghylch gwaith pan ddeuai rhyw anghydfod i'r wyneb – pan fyddai chwarel yn newid dwylo neu pan godai rhwystrau cynhyrchu megis gorfod clirio'r brig er enghraifft – gan fod tua thri dwsin o chwareli yn y dyffryn, gallai gweithiwr a roddid ar y clwt godi ei arfau a cherdded i chwarel gyfagos i chwilio am waith.

Teimlaf hi'n fraint bod wedi gweithio yn Chwarel Moeltryfan dros wyliau'r haf pan oeddwn yn fyfyriwr ar ddechrau'r 1960au. Gweithiwn mewn sied fechan ym mhen pella'r chwarel, ble gynt roedd chwarel Cors y Bryniau. Roeddwn yn un o tua hanner dwsin yno; byddai un yn llifio a dau hen law – fy ewyrth Edwin Thomas a Robin Griffith o'r Cilgwyn – yn dangos i ni, hogia dibrofiad, sut oedd mynd ati i hollti, a hwythau wedyn yn naddu ar y drafael. Cerrig gweddol fychan a gaem, rhai addas ar gyfer *dampcourse*; âi'r cerrig mwya rhywiog i'r sied fawr at y dwylo profiadol. Teimlais falchder a boddhad eithriadol wrth brofi peth llwyddiant gyda'r grefft, er bod gennyf sawl hollt yn fy mysedd, swigod ar gledrau fy llaw a breichiau ac ysgwyddau poenus ar ôl llwytho'r lorri. Roeddwn wrth fy modd yn dweud yr hanes gartref amser swper chwarel, a 'nhad wedi treulio'r rhan fwyaf o'i oes yn y chwareli ond wedi gorfod rhoi'r gorau iddi cyn cyrraedd oed ymddeol ar ôl cael damwain gas i'w ysgwydd, a hynny yn y cwt biliards o bob man.

Y Tyddynnod

Wrth drafod gwelliannau amaethyddol y ddeunawfed ganrif, dywed A.H. Dodd mai un o rwystrau pennaf y gwelliannau oedd bodolaeth y tiroedd comin. Y gred gyffredin oedd nad oedd perchnogaeth gymunedol yn hwb i gynhyrchu ar y tir, tra bod perchnogaeth tir yn troi tywod yn aur! Tan hynny ni chymerodd y tirfeddianwyr nac asiantiaid y Goron fawr o ddiddordeb yn y tir creigiog a mawnoglyd yma, ond roedd y duedd i gadw gormod o ddefaid ar y tir a oedd eisoes ar gael, a'r cynnydd mewn elw y tybid a geid o dir caeëdig, yn hwb iddynt efelychu'r ffasiwn a rhoi ceisiadau i'r Senedd i gau'r tiroedd comin. Y broblem a wynebai comisiynwyr Cau'r Tiroedd Comin oedd bodolaeth y nifer fawr o sgwatwyr a oedd wedi cartrefu ar y comin heb hawliau cyfreithiol, ond yn aml gyda sêl bendith yr awdurdodau plwy.

Cyn datblygiad y chwareli ymestynnai'r tir comin ar hyd tir is o lawer nag y gwna heddiw, ond gyda'r cynnydd sydyn yn y boblogaeth fel y deuai pobl i weithio i'r chwareli, rhaid oedd cael cartrefi iddynt. Nid oedd pentrefi yn yr ardal o gwbl; i lawr yng ngwaelodion y plwyfi yr oedd y rheiny, gyda Llandwrog, Llanwnda a Llanllyfni o gwmpas eglwysi'r plwyfi a braidd yn bell i fyw ynddynt pe bai angen teithio i'r chwarel bob dydd. Yr ateb felly oedd cau tamaid o dir comin a chodi tŷ arno, gan greu tyddyn. Crebachodd y tir comin felly, gyda wal y mynydd yn symud yn uwch ar y llethrau a'r tyddynnod gyda'u waliau cerrig sych yn britho'r tirlun. Dengys map 'Cau Tir Comin Rhosgadfan' ble'r oedd wal y mynydd yn 1790, sef hanner ffordd rhwng pentrefi Rhosgadfan a Rhostryfan heddiw. Dengys y dyddiadau ar gyfer codi'r tyddynnod y symudiad graddol i fyny'r rhostir, gyda'r tyddynnod diweddarach fwy na heb ar dir gwaelach ac uwch ar Foeltryfan ei hun. Gwelir hefyd y patrwm o lwybrau a ffyrdd trol sy'n cyfateb i'r ffyrdd a'r llwybrau presennol. O gwmpas y rhain y codwyd pentref Rhosgadfan yn ddiweddarach, rhwng 1850 ac 1900.

Roedd rhai ffermydd y tu isa i'r comin yn perthyn i stadau'r Faenol, Plas Tirion a Llanfair ac roedd y perchnogion a'r tenantiaid fel ei gilydd yn anfodlon gweld codi tyddynnod ar y comin, gan y gallai hyn olygu pwysau ar drethi petai tlodion yn byw ynddynt. Gallai'r dynion droi llaw at amryfal dasgau megis codi wal, plygu gwrych a thrwsio gwaith coed, ac roedd crefftwyr megis cryddion, teilwriaid, gwehyddion a gofaint yn y cyffiniau. Roedd yr amodau ym mhlwyf Llanwnda yn ei gwneud hi'n gymharol hawdd i godi tyddyn; roedd perchnogion y ffermydd yn byw yn ddigon pell o'r comin ac nid pobl ddiarth oedd y tyddynwyr cyntaf ond meibion ffermydd cyfagos Wernlas Wen, Cae'r Odyn a Bodaden. Codwyd y tyddynnod ganddynt hwy gyda chaniatâd a hyd yn oed anogaeth eu rhieni, ac ymhlith y rhai cyntaf a gaewyd, a hynny gan feibion Cae'r Odyn, yr oedd Tan-y-gelynnen, Tyddyn Canol a Phen-y-gwylwyr, sydd heddiw ar gyrion uchaf Rhostryfan. Ymhen rhai blynyddoedd wedyn caewyd Glanrafon Hen, Gaerddu a Phenffridd, sydd yn uwch ac ar gyrion Rhosgadfan heddiw. Caeodd meibion Wernlas Wen dir ar ffiniau'r fferm, Carreg Deimond, Tan-y-manod a Phenceunant. Caeodd meibion Wernlas Ddu dyddynnod hefyd – Thomas Williams yn Nhy'n Gadfan, Robert ym Mryn Crin, John yn Nhy'n Rhosgadfan ac roedd Catrin yn byw ym Mrynffynnon, eto ar gyrion Rhosgadfan erbyn heddiw.

> Wrth ddod yn ôl yn llipryn
> O ladd y mawn a'r rhedyn,
> Caf de a sleisan o gig moch
> Gan Martha Goch Cae'r Odyn.

William Bifan y Gadlys

Roedd trigolion ffermydd rhan ucha'r plwyf erbyn hyn yn ofni gweld cau'r comin yn gyfangwbl. Yma'r oedd y mawnogydd o ble y ceid mawn, ac roedd ganddynt hawliau ers oesoedd ar y comin. Yn aml byddai bywyd yn well i'r tyddynwyr nag i'w perthnasau ar y ffermydd am eu bod yn berchnogion tir yn hytrach na thenantiaid. Bu perchnogaeth hefyd yn fodd o fedru codi mwy o dai i'r chwarelwyr; gallai'r tyddynnwr werthu tir i godi tai moel. Bu'r stadau'n anfodlon gwerthu tir i godi tai, yn wir ni bu odid ddim gwerthu nes i diroedd rhai stadau fynd ar werth ar ddiwedd y bedwaredd ganrif ar bymtheg.

O'r Gors Goch wrth droed Moeltryfan y codai ffermwyr y plwyf eu mawn. Erbyn tua 1840, oherwydd y cynnydd yn y boblogaeth, dihysbyddwyd y mawn a bu'n rhaid mynd at fawnog arall yr ochr bellaf i'r mynydd – a oedd yn daith hwy – sef i Gors y Bryniau (a roddodd ei henw i'r chwarel a agorwyd gerllaw ac sy'n deitl ar un o lyfrau Kate Roberts). Erbyn canol y bedwaredd ganrif ar bymtheg

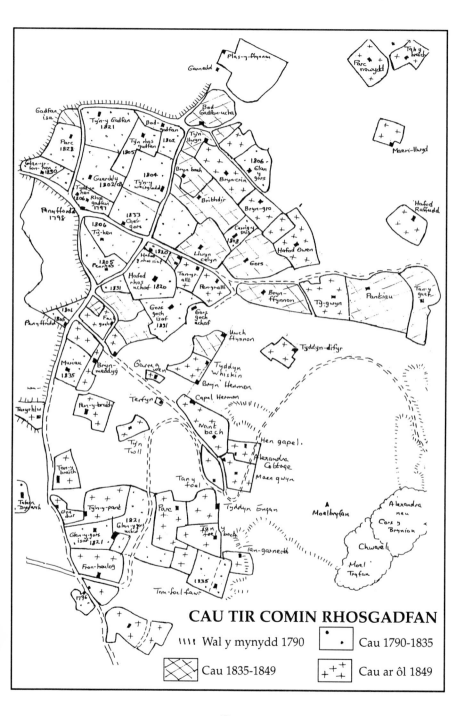

CAU TIR COMIN RHOSGADFAN

＼＼＼ Wal y mynydd 1790	·	Cau 1790-1835
⨯ Cau 1835-1849	+ + +	Cau ar ôl 1849

cyrhaeddodd y rheilffordd a oedd yn fodd hwylus o gludo glo i'r ardal, a dechreuwyd prynu glo am swllt y cant i ddrws y tŷ yn hytrach na llafurio i godi mawn a'i gario adref wedyn.

Codwyd tyddynnod Moeltryfan o 1797 ymlaen ac erbyn dyfodiad mapiau OS 1889 roedd patrwm anheddu'r tyddynnod wedi ei sefydlu'n llwyr. Dengys y mapiau prin sydd i'w cael o hanner cyntaf y bedwaredd ganrif ar bymtheg fod llawer o'r tyddynnod wedi eu codi erbyn 1820 a'r cyfan, fwy neu lai, erbyn 1860. Ymysg y rhai cynharaf ar lethrau Moeltryfan roedd:

Rhosgadfan 1797
Penffordd 1798
Tyddyn Hen 1800
Gaerddu Ddu 1802
Gaerddu Goch 1803
Ty'n Weirglodd 1804
Ty'n Rhosgadfan, Penffridd, Pantiau, Penrhos 1805
Tŷ Hen, Gorlan (Glangors heddiw) 1806
Hafod-y-Rhos Ucha ac Isa 1820
Ty'n Gadfan 1821
Parc 1828
Glanrafon Hen 1830
Cae'r Gors 1833
Brynffynnon 1836.

O'r 1930au ymlaen, wedi dirywiad y diwydiant llechi, unwyd tiroedd rhai tyddynnod. Gadawyd tai yn wag fel y symudai'r trigolion i fyw yn y pentrefi a doedd y dynion bellach ddim yn byw yn agos i'w man gwaith. Hwylusach oedd byw yn y pentref ble ceid gwasanaeth bysus i Gaernarfon a lleoedd eraill ble'r oedd gwaith i'w gael. Gorfodwyd fy rhieni ac eraill i symud o dyddynnod y Cilgwyn i dai Cyngor Maes Hyfryd yng Ngharmel yn 1938; gwrthodai Cyngor Gwyrfai ddarparau gwasanaethau carthffosiaeth a thrydan yn y Cilgwyn ac felly condemniwyd nifer o'r tyddynnod.

Ceir tystiolaeth o hen safle wal y mynydd mewn enwau lleoedd ac enwau tai megis Llidiart Coch ar y ffordd rhwng Rhostryfan a Rhosgadfan a Llidiart y Mynydd, tŷ ym mhen isaf pentref Carmel ble cychwynna'r ffordd i lawr am y Groeslon, sy'n dangos felly fod pentref Carmel wedi ei adeiladu yn gyfangwbl ar dir a oedd yn dir comin cyn 1800.

Llidiard y Mynydd

Llidiard uwchlaw llidiardau – a godwyd
   I gadw'r terfynau
   Ar fynydd oer ei fannau,
   A'i werth i gyd wrth ei gau.

John Thomas

Magwyd Thomas a Gruffudd Parry ar dyddynnod y Gwyndy a Gwastadfaes ar gyrion Carmel. Fel yng ngwaith Kate Roberts, cawn ddisgrifiadau manwl ganddynt o fywyd yr ardal pan oedd y chwarel a'r tyddyn yn elfennau hanfodol o'r ffordd o fyw:

. . . Tyddynnod wedi eu cau o'r mynydd yw rhan helaethaf yr ardal, fel y mae llawer o'r enwau yn profi, Cae Ucha, Cae Forgan, Cae Ddafydd. Y mae'n debyg fod yma gau go gynnar a chau diweddarach, oherwydd y mae hen wal y mynydd yn ddigon hawdd ei hadnabod hyd heddiw, sef terfyn uchaf y rhes ffermydd, Cae Ucha, Cae Forgan, Caesion Mawr, Glynmeibion a'r Foty-wen, pob un ohonynt yn ffarm ddigon mawr i gynnal dyn a'i deulu. Ar y llinell hon, ychydig yn is i lawr na phentref Carmel, yr oedd giât ar draws y ffordd yn dwyn yr enw, Llidiart y Mynydd. Y mae pawb o'm hoed i yn ei chofio yn dda. Tynnwyd hi i ffwrdd pan ddaeth swm trafnidiaeth yn ddigon mawr i beri ei bod yn niwsans.

Y tu uchaf i wal y mynydd a'r llidiart, tyddynnod bychan a geir, rhwng pedair a chwe acer, a'r rhain sy'n cynrychioli'r cau diweddarach . . . Gyda datblygiad y chwareli y daeth y tyddynnod i fod. Cyn hynny mynydd gwag a digon diffaith oedd yr ardal i gyd.

Tŷ a Thyddyn, Thomas Parry

Roedd y ffermydd yma yn medru cynnal teulu yn hanner cynta'r ugeinfed ganrif, fel y cofiaf yn dda, ond go brin y gellir gwneud hynny heddiw, er yr holl gymorthdaliadau. Deuai'r dyn llefrith o gwmpas y fro gyda chynnyrch y fuches leol, caed cig lleol yn siop cigydd y pentre a wyau a menyn o'r tyddynnod, ac wrth gwrs, roedd gwell blas o beth mwtral arnynt na'r hyn a gawn heddiw.

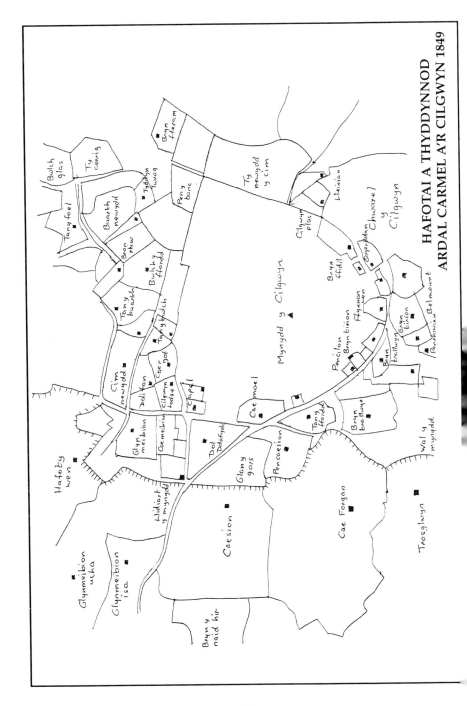

HAFOTAI A THYDDYNNOD
ARDAL CARMEL A'R CILGWYN 1849

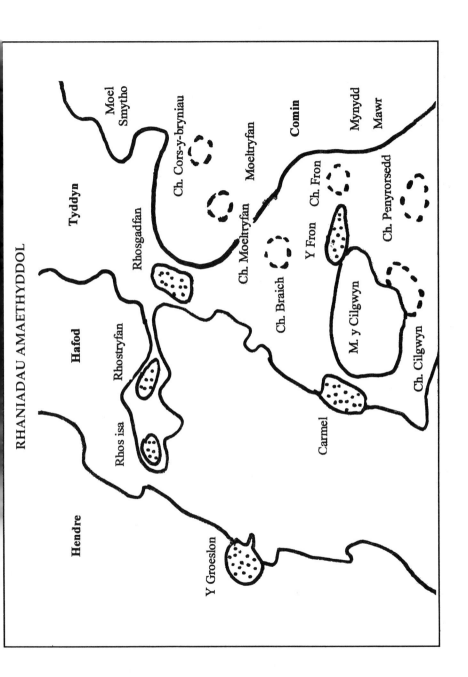

RHANIADAU AMAETHYDDOL

Hendre   Hafod   Tyddyn   Moel Smytho

Rhos isa   Rhostryfan   Rhosgadfan

Ch. Cors-y-bryniau

Ch. Moeltryfan   Moeltryfan

Comin

Ch. Braich   Y Fron   Ch. Fron   Mynydd Mawr

Carmel   M. y Cilgwyn   Ch. Penyrorsedd

Y Groeslon   Ch. Cilgwyn

49

Gwelir yn glir ar y mapiau y gwahaniaeth mewn arwynebedd rhwng tir yr hafotai a'r tyddynnod o boptu hen wal y mynydd: caeau bychain iawn gan y tyddynnod, rhai mwy gan yr hafotai a rhai mwy eto gan y ffermydd is, yr hendrefau. Cyfeiria Thomas Parry at ddau gau. Bu dau gyfnod a dau fath o gau. Rhwng 1750 ac 1800 cau gan denantiaid yr hafotai a fu, yn ychwanegu darn o dir comin at eu tiroedd, e.e. Pencaesion at Caesion. Yn yr ail gau, rhwng 1800 ac 1850, meibion y ffermydd a mewnfudwyr i'r ardal oedd yn gyfrifol am greu unedau ar wahân, y tyddynnod. Bryn Melyn oedd yr hen enw ar yr ardal, a hynny oherwydd yr eithin a orchuddiai gyfran helaeth o'r llethrau.

Caewyd tua miliwn o erwau o dir comin yng Nghymru rhwng 1795 ac 1895, pumed rhan o arwynebedd tir y wlad. Fel y deuai gwŷr o Fôn a Llŷn i weithio i'r chwareli, y ffordd hwylusaf i amryw ohonynt gael to uwch eu pennau oedd codi tai unnos. Roedd cred, heb sail gyfreithiol, pe gellid codi adeilad â tho arno rhwng cyfnos a gwawr, a chael y corn simnai i fygu cyn i'r haul godi, fod hawl ar y Tŷ Unnos gan y sawl a'i cododd. Gallai'r perchnogion wella safon y tŷ wrth eu pwysau yn ddiweddarach. Wedyn ceid dyn nerthol i daflu bwyell i'r pedwar gwynt o safle'r tŷ, a chau'r darn tir oddi mewn i gwmpas y tafliad, a dyna ddechrau bywyd ar y tyddyn.

Cerrig lleol a ddefnyddid i godi tai a waliau caeau'r tyddynnod ac roedd digonedd o'r rheiny ar gael ar yr wyneb neu'n agos i wyneb y tir, ac wrth reswm, fe ddefnyddid llechi i doi. Mae'n bur debyg i gerrig oddi ar safleodd o Oes yr Haearn gael eu defnyddio wrth godi rhai o'r tyddynnod hefyd, gan i archeolegwyr ganfod cryn ddifrod ar rai safleoedd wrth gloddio'n ddiweddarach. Tai unllawr bychain oeddynt, gyda thai allan ar gyfer yr anifeiliaid, beudy a chwt mochyn, a thŷ gwair yn sownd ynddynt, neu yn ymyl, ac yn aml nid oeddynt yn gartrefi iach iawn. Cofiwch mai tai ar dir mynydd oedd y rhain, yn agored i'r ddrycin, heb goed yn gysgod rhag y gwynt a'r glaw ac yn aml wedi'u hadeiladu ar frys gwyllt. Byddai ganddynt ffenestr fechan i gadw gwres y tân mawn i mewn, cegin a siambr, croglofft neu daflod a grisiau i ddringo i'r gwlâu.

Ein tad yr hwn wyt yn y daflod
Tyrd i lawr, mae swper yn barod.

Dyma ddywedid yn slei bach heb i Mam glywed pan fyddem yn mynd i'r ciando ers talwm! Mae ffenestri rhai tai diweddarach yn fwy, a ffenestr bob ochr i'r drws efallai oherwydd bod glo ar gael erbyn hynny i gadw'r tŷ yn gynnes, ar ôl dyfodiad y rheilffyrdd. Waliau cerrig sychion neu gerrig a phridd oedd o amgylch y caeau, gyda rhai ffensys crawia llechi ond ni welir cynifer o'r ffensys llechi ag a geir mewn mannau eraill megis Mynydd Llandygái.

Poenai un peth hi'n fawr, a hynny oedd cyflwr y tŷ. Y gegin lle'r oeddynt yn byw oedd yr unig ystafell glyd ynddo. Yr oedd y siamberydd, yr un gefn yn enwedig, yn llaith ac yn hollol afiach i neb gysgu ynddi. Rhedai'r lleithder i lawr y parwydydd gan ddifetha pob papur, a disgynnai diferion dŵr o'r seilin coed ar y gwely adeg rhew a barrug. Fe hoffai gael adeiladu darn newydd wrth yr hen dŷ, fel y câi gegin orau a dwy lofft o leiaf. Yr oedd digon o gerrig ar dir y Ffridd Felen i adeiladu darn felly, a byddai cael gwared o'r cerrig yn lles i'r tir yntau. Ond byddai'n rhaid i Ifan eu saethu, a golygai hynny fwy o waith byth iddo. Felly, i beth y breuddwydiai?

Traed mewn Cyffion, Kate Roberts

Golygai gryn ymdrech i wella'r tir newydd-gaeëdig, i'w droi o fod yn borfa fras y mynydd i fod yn borfa barhaol, ac yn gaeau gwair a thir i dyfu cnydau. Roedd yn rhaid ceibio a phalu'n llafurus nes ceid digon o gelc i brynu aradr, a charega'n ddiddiwedd, gyda mwy o gerrig yn codi i'r wyneb yn flynyddol. Rhaid oedd ychwanegu calch yn rheolaidd gan fod y pridd yn asidig iawn, ac yna ymhen rhai blynyddoedd byddai tail yn gwrteithio'r pridd a lliw'r tirlun yn cael ei weddnewid yn raddol. Erbyn heddiw mae lliwiau'r tir ar sawl tyddyn yn araf ymdebygu i borfa'r mynydd unwaith eto, ond ceir eithriadau megis Hafod Ruffydd, ble gwelwch y cyferbyniad rhwng glesni'r caeau a brown a phorffor y mynydd yn glir o hyd.

Mi ddysgais wneud y gors
Yn weirglodd ffrwythlon ir,
I godi daear las
Ar wyneb anial dir.

'Yr Arad Goch,' Ceiriog

Dengys yr ystadegau canlynol lwyddiant y tyddynwyr yn troi mynydd-dir yn 'weirglodd ffrwythlon ir'. Cymharu rhai o dyddynnod ardal Rhostryfan a Rhosgadfan a wnaethpwyd:

DEFNYDD TIR	1849				1991			
Tyddyn	**A**	**P**	**G**	**B**	**A**	**P**	**G**	**B**
Penceunant	17	17	48	17	0	95	0	5
Pantycelyn	0	65	36	0	0	65	35	0
Penisa'rhos	9	65	19	3	0	54	42	4
Pant-coch	24	12	45	18	0	62	0	33
Cae'r Gors	**33**	**11**	**55**	**1**	**0**	**28**	**0**	**72**
Penrallt	-------------------------				0	100	0	0

A – âr   P – porfa   G – gwair   B – buarth, diffaith

(Rhestr Degwm Plwyf Llanwnda, 1849 ac Arolwg gan Gwydion Tomos, 1991)

Cae'r Gors	**1849**		**Brynffynnon**
Rhif y cae	**Defnydd tir**	**Enwau caeau**	
1506	âr	Caeau ucha	1490 – gwair
1507	porfa	" "	1491 – porfa
1508	âr	" "	John Hughes, tua dwy erw a hanner
1508a	porfa	" "	
1509	gwair	Cae bach	
1510	gwair	Cae cefn tŷ	
1511	tŷ		
1512	gwair	Cae dan tŷ	
1521	gwair	Y weirglodd	

Preswylydd – Anne Williams, dros 6 erw o dir.

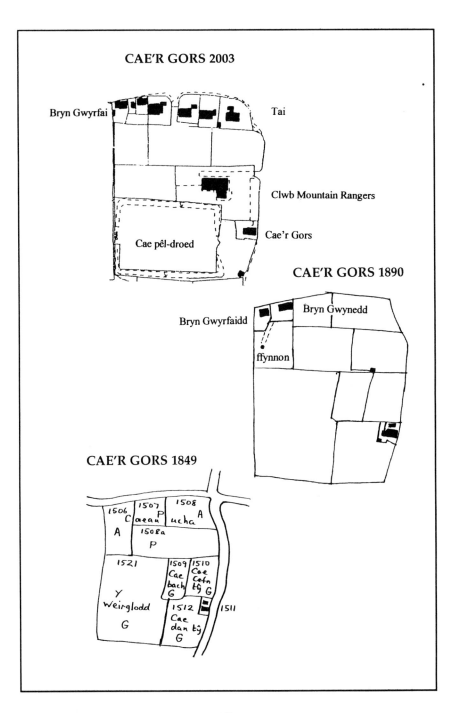

CAE'R GORS 2003

Bryn Gwyrfai

Tai

Clwb Mountain Rangers

Cae pêl-droed

Cae'r Gors

CAE'R GORS 1890

Bryn Gwyrfaidd

Bryn Gwynedd

ffynnon

CAE'R GORS 1849

1506
A

1507
Caeau
P

1508
ucha
A

1508a
P

1521

Y
Weirglodd
G

1509
Cae
bach
G

1510
Cae
Cefn
tŷ
G

1512
Cae
dan tŷ
G

1511

Roedd cyfran helaeth yn dir âr ac o ystyried pa mor uchel yw'r tyddynnod, mae'n debyg eu bod yn tyfu llysiau gwraidd megis maip, a cheirch ar gyfer bwydo'r anifeiliaid a pheth tatws, moron, bresych a phys ar gyfer y teulu. Roedd y caeau gwair yn hanfodol hefyd ar gyfer tyfu bwyd i'r da byw dros fisoedd hir a gerwin y gaeaf. Nid oedd y tyddyn uchaf ohonynt, Penrallt, wedi ei adeiladu yn 1849. Mae'r newid erbyn 1991 yn amlwg, gyda dim ond dau dyddyn yn tyfu gwair hyd yn oed, ac nid oes tir âr. Gosod y tir i'w bori yw'r defnydd mwyaf cyffredin bellach. Y rheswm am y 72% ar gyfer Cae'r Gors (yng ngholofn B y tabl) yw bod tai a chlwb cymdeithasol bellach ar dir y tyddyn, ac mae'r rhan helaeth o Bant Coch yn ardd erbyn heddiw.

> Mae mam a'r hogia a finna yn mynd i Fryn Ffynnon, tŷ taid a nain, i gario gwair. Yr ydym yn dringo ac yn dringo nes cyrraedd Pen'Rallt Fawr.Yr ydym yn stopio ac yn edrych yn ôl. Mae mwy o Sir Fôn i'w weld nag o'n tŷ ni. Yr ydym yn gweld reit at Bont y Borth, ond yn gweld peth arall na fedrwn byth ei weld o'n tŷ ni – y Lôn Wen, sy'n mynd dros Foel Smatho i'r Waunfawr ac i'r Nefoedd. Mae hi'n mynd rhwng y grug ac yn cyrraedd llidiart y mynydd cyn disgyn i Alltgoed Mawr. Ni welwn hi wedyn. Mae llawer o bobl yn y cae gwair a llawer o blant, fy nghefnder a'm cyfnitherod, ac ni chawn fynd ar ben y das wair. Nid ydym yn neb yn y cario gwair yma, ac nid oes neb yn cymryd sylw ohonom.

> *Y Lôn Wen*, Kate Roberts

Ychydig iawn o dir oedd gan y tyddynnod – rhwng dwy a chwe erw ar y mwyaf, neu lai hyd yn oed yn aml, gyda nifer o gaeau bychain â waliau cerrig sychion neu waliau pridd a cherrig ar dir is, a gwrychoedd drain ac eithin weithiau. Dibynnai'r tyddynwyr ar borfa'r tir comin ar gyfer eu hanifeiliaid am gyfran helaeth o'r flwyddyn, gan ddod â'r anifeiliaid i lawr i'r caeau dros fisoedd llwm y gaeaf. Gwartheg a defaid a gedwid gan fwyaf a merlod ambell waith, a byddai ieir a mochyn ar y tyddyn yn aml. Câi'r tyddynwyr hawl pori ar y comin, arfer a bery hyd heddiw, ond ni ddefnyddir yr hawl i'r un graddau bellach. Rheolid y comin gan y tyddynwyr, neu 'borwyr' fel y'u gelwir, gyda'r hawl yn cael ei roi i'r tyddyn, nid i unigolyn, fel arfer.

Byddai codi mawn yn arfer eitha cyffredin oherwydd bod

digonedd o fawnogydd i'w cael: Cors Goch, Cors Tan-foel, Cors Dafarn, Cors y Bryniau ac un wrth ymyl Llyn Ffynhonnau, a phob teulu â'i le ei hun arnynt i ladd mawn ar ddechrau haf. Torrid grug ac eithin i fod yn sylfaen teisi ac i gynnau tân hefyd.

O fewn rhyw dri thafliad carreg i'n tŷ ni roedd mawnog. Cyn y gaeaf byddai'r dynion o'r tyddynnod cyfagos yn brysur yn torri'r mawn yn ddarnau hirgul at faint bricsen adeiladu ac yna eu gadael i sychu. Un rhaw bwrpasol i dorri mawn a welais i erioed â llafn neu swch ar un ochr iddi. Gyda'r rhaw honno byddai pob mawnen a dorrid o'r un maintioli a siâp ond nid felly y rhai a dorrid â rhaw bâl. Byddai fy nhad yn eu cario a'u pentyrru yn yr eil ddi-ffenestr a gydredai â wal gefn y tŷ. Tân ddi-fflam a geid o'r mawn ond roedd ambell glap o lo neu lo mân yn help i gael fflam ac yn sirioli'r aelwyd.

Dwy Aelwyd, Lisi Jones

Y fawnog ger Llyn Ffynhonnau y cyfeirir ati mae'n debyg.

Lle arall yr aem iddo fyddai'r Mynydd Grug neu Foel Smythaw . . . Byddem yn mynd yno i dynnu grug i'w roi yn sylfaen i'r das cyn y cynhaeaf gwair . . . Rhoddid gwair ar y sylfaen hon, ac erbyn y gaeaf, pan fyddid yn torri'r das i gael y gwair i'r gwartheg, byddai wedi gwywo. Gwaith un ohonom ni'r plant cyn mynd i'r ysgol fyddai cario ychydig o'r grug i'r tŷ mewn bocs i'w gael i ddechrau tân drannoeth.

Atgofion, Kate Roberts

Byddent yn tanio'r grug dros ran o'r comin er mwyn gwella'r borfa, yn agor traeniau, yn sicrhau na chrwydrai'r defaid o'u cynefin, ac yn ddiweddarach yn gosod ffens a giatiau i rwystro defaid a gwartheg rhag crwydro i lawr i'r pentrefi. Ac o sôn am gynefin, gan eu bod yn magu eu stoc byddai'r oen yn naturiol yn dysgu oddi wrth y famog, sy'n wahanol i heddiw, pan gludir defaid dieithr o bell i bori ar y comin a'r rheiny, o'r herwydd, yn fwy tebygol o grwydro am na wyddant ble mae ffiniau eu cynefin.

Ni fu'r tyddyn erioed yn uned amaethyddol digonol i gynnal teulu, ond byddai cynnyrch y tir a'r anifeiliaid – llysiau, llefrith, menyn, gwlân, wyau a chig – yn ychwanegiad at gyflog y chwarel ac yn fwyd maethlon i'r teulu, ac felly'n codi safon byw'r chwarelwr a'i deulu mewn oes pan oedd teuluoedd yn aml yn niferus iawn.

Rhoddir gormod o bwyslais yn aml ar dlodi'r chwarelwyr. Byddent yn byw o'r llaw i'r genau efallai, heb fawr wrth gefn, gan ddibynnu ar hap y fargen am gyflog ac ar y tywydd am gynnyrch tir, ond ni fyddent yn llwgu chwaith. Roedd yn bendifaddau yn fywyd caled o fewn rhigolau chwarel a thyddyn, ond llwyddai'r mwyafrif i gael deupen llinyn ynghyd, a rhai i wella'u stad rhyw fymryn.

Dyma ein cartref am chwe blynedd ar hugain, yn niwedd y ganrif ddiwetha a dechrau hon. Yng nghegin Cae'r Gors y byddem yn dysgu ein hadnodau ar gyfer yr Ysgol Sul a'r Seiat, yn gwneud ein tasgau ysgol, yn darllen storïau a phapurau newydd, yn chwarae ludo a dominos gyda'r nos, yn gwrando ar 'nhad yn canu Gelert Ci Llywelyn ar nos Sadwrn, yn gwrando ar mam yn adrodd darnau o Eben Fardd ac yn torri allan i ganu weithiau. Yma y bwytaem y bwyd plaen da a gaem, pawb â'i le wrth y bwrdd mawr hir. Gan fod gennym ddwy fuwch yn y beudy, dau fochyn yn y cwt a ieir hyd y caeau, ni fyddem yn brin o fenyn, wyau a llefrith.

Ein pryd mawr oedd swper chwarel, y pryd a gaem wedi i 'nhad a 'mrodyr ddwad adre o'r chwarel. Caem lobsgows, neu iau a stwnsh rwdan, neu gig mochyn a stwnsh pys neu rwdan. Byddai gennym lwyth o rwdins yn y beudy, i'w malu i'r gwartheg. Dim ond ar ddiwrnod pobi a dydd Sul y caem bwdin, pan fyddai'r popty ar fynd.

Yna tua naw caem baned o de a brechdan gaws, neu hadog . . . caem fara ceirch efo'r caws, bara ceirch wedi i Elin Jones Penffordd ei wneud, rhai mawr yn cyrlio fel basged.

Gan mai tyddyn bychan oedd gennym, roedd y caeau'n fychan ac eithrio un, sef y weirglodd wleb ac anodd sychu ei gwair. Cae dan Tŷ, Cae Cefn Tŷ, Cae Bach, Y Caeau Ucha. Byddwn i'n hoffi rhoi tro hyd y caeau ar fy mhen fy hun. Yr oedd y Cae Bach yn un hoffus iawn; yr oedd carreg fawr wastad yn ei waelod, ac ar hon byddwn yn gwneud tŷ bach, ac yn hel tegis iddo i wneud dresel trwy osod llechen ar ddwy garreg. Treuliwn lawer o amser yn eistedd ar y garreg yma, ac ym mis Medi byddai digon o fwyar duon yn y cae bach. Tyfid ceirch yn ei hanner ambell dymor a thatws dymor arall. Dyrnid yr ŷd yn y gongl ar sachau glân efo ffust. Cofiaf yn iawn unwaith i'm cefnder R. Alun Roberts a'i frawd Hughie ddyfod acw ar brynhawn Sadwrn braf ym mis Medi, a dyna lle buom i gyd yn cymryd twrn i ffustio, a chael hwyl braf. Defnyddid y gwellt o dan y moch a'r ceirch yn fwyd i'r ieir. Cloddiau pridd oedd cloddiau'r caeau, ac yr oedd grug ac eithin tlws yn tyfu arnynt, a choed llus, a hyfrydwch pur oedd hel llus oddi arnynt amser cynhaeaf gwair, eu rhoi ar flewyn fel mwclis a'u tynnu wedyn i'n cegau.

Atgofion, Kate Roberts

Tai bychain oedd y tyddynnod, heb fawr o le i droi o ystyried y dodrefn a maint y teuluoedd. Mae gennym ni gegin, ystafell fwyta a lolfa neu ddwy yn amlach na pheidio y dyddiau hyn, a phob dyfais i arbed llafur. Un ystafell fyw oedd i'r tyddynnod fel arfer, gydag ystafell wely neu siambr y drws nesa a thaflod i fyny'r ystol, ond roedd yno aelwyd groesawus. Dyma i chi sut le oedd y tu mewn i Gae'r Gors:

Wrth sefyll ar ganol llawr y gegin ymrithiai fy holl blentyndod o'm blaen. Y diwrnod hwnnw yn y gegin gwelwn hi yn hollol fel yr oedd ddeng mlynedd a thrigain yn ôl. Y llawr teils coch a glas y byddwn yn ei olchi pan fyddwn gartref ar wyliau ac ar fore Sadwrn. Byddai'n edrych yn fawr y pryd hynny pan fyddwn yn tynnu'r bwrdd a'r cadeiriau allan, ac yn golchi dan y soffa.

Yma yn y gegin y gwneid y rhan fwyaf o waith y tŷ. Pobi, golchi, smwddio yn ogystal â llnau'r gegin ei hun. Ar y tân o dan y simdde fawr y byddid yn ffrio cig moch a phethau eraill, ar y tân y byddem yn berwi tatws a llysiau. Yn y popty y byddem yn crasu bara. Yr oedd dau bopty o dan y simne, un mawr, a lle i roi tân odano, ac un bychan wrth ochr y tân.

Yr oedd cadwyn yn hongian wrth ben y grât ei hun, ond ni byddem yn ei defnyddio. Ar y tân y byddid yn berwi dillad gwynion ddiwrnod golchi mewn sosban fawr hirgron a handlen wrthi.

Ar un mur i'r gegin yr oedd cwpwrdd gwydr deuddor o fahogani plaen, cloc mahogani hardd, llydan a thal, a chwpwrdd gwydr arall efo tair drôr; un derw gwyn oedd hwn a thri panel o fahogani ar y rhan isaf iddo, a phatrwm gwythennog y mahogani

57

i'w weld arnynt. Llestri a gedwid yn y cypyrddau hyn yn y rhan uchaf, a dillad, megis dillad gwlâu, yng ngwaelod un, a siwtiau a hetiau yn y llall.

Ar yr ochr arall, o dan y ffenestr, yr oedd soffa fawr gref a chefn a breichiau rhawn iddi. Yr oedd mam wedi cael gan saer coed wneud sêt solet o bren iddi ac wedi ei gorchuddio ag oelcloth. Dodid clustogau ag iddynt orchudd o ddefnydd lliwgar ar y soffa pan fyddem yn disgwyl pobl ddiarth. Wrth ben y soffa yr oedd cwpwrdd uchel a'i gefn yn ffurfio rhyw fath o gyntedd lle yr hongid dillad wrth ddyfod i mewn i'r gegin. Er gwneud pob gwaith yn y gegin, byddai cyn laned â'r lamp erbyn y prynhawn, a chaem ein te wedi dyfod o'r ysgol a'n swper chwarel ynddi, mewn lle cysurus.

Tu ôl i'r gegin yr oedd y tŷ llaeth, un digon helaeth, rhes o botiau llaeth cadw ar un ochr iddo a llechi crynion ar eu hwynebau, ac un pot llaeth gwahanol â chaead pren arno, lle cedwid y bara, ein bara ein hunain. Yr oedd bwrdd yno hefyd; ar hwn y trinid y menyn ar ddiwrnod corddi – ac y gweid y crwst teisen, bwrdd mawr hefyd efo droriau ynddo, a elwir yn 'fwrdd cwpwrdd' gan rai, a digon o silffoedd i gadw llestri, a'r corddwr hefyd. Yr oedd grât yn y tŷ llaeth, ond ni ddefnyddid ef ond ambell dro pan fyddai'r gwynt o le manteisiol. Yr oedd yno fangl mawr pren hefyd, ac uwch ben hwn yn y to yr oedd ffenestr a oleuai'r lle i gyd.

Yr oedd acw ddwy siamber, yr un gefn wrth ymyl y tŷ llaeth, a dim ond gwely pren wedi ei baentio'n wyn ynddi a bwrdd bach a chadair. Hen wely wenscot wedi llifio ei ddarn uchaf i ffwrdd oedd hwn. Byddwn wrth fy modd yn cysgu yn y gwely yma oblegid yr oedd y ffenestr yn agor ar y gadlas, a deuai aroglau gwair i mewn, a chlywn glochdar yr ieir.

Yr oedd y siamber ffrynt yn fwy na'r un gefn, lle i wely mawr ynddi, cadeiriau, bwrdd ymolchi gyda'i jwg a basin, bwrdd ymwisgo, a alwem ni yn fwrdd glas, a 'chest of drawers' fawr dderw wedi ei gwneud gan saer o'r ardal. Cloc hen ffasiwn ar y pared, ac oddi wrth hwn y dysgodd fy mrawd imi ddweud faint oedd hi o'r gloch. Yr oedd lle tân ynddi a thynnai hwn yn iawn pan fyddai ei angen adeg salwch. Am ei bod yn siamber orau yr oedd oelcloth ar ei llawr a ryg. Yma y byddem pan fyddem yn sâl, ac mae gennyf gof hoffus am gael bwyd yn y gwely yn y siamber hon pan fyddwn yn dechrau mendio.

Yr oedd gennym daflod hefyd, a dau wely ynddi, gwlâu bychain reit wrth y to, a heb le i ddim arall ond bwrdd bychan. Fy ngwaith i ar fore Sadwrn fyddai sgwrio'r ysgol i fynd i fyny iddi, hyn a llnau cyllyll.

Atgofion, Kate Roberts

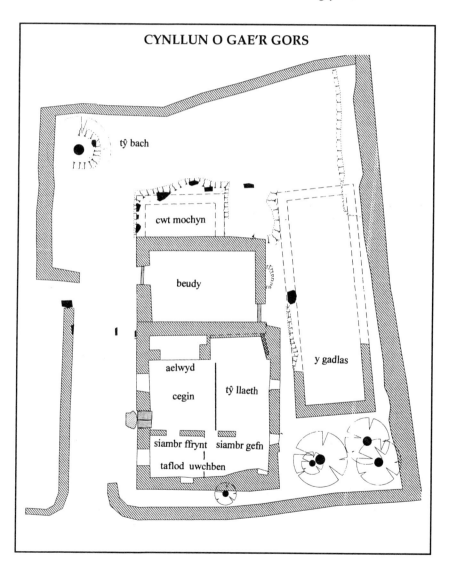

CYNLLUN O GAE'R GORS

tŷ bach

cwt mochyn

beudy

aelwyd

cegin

tŷ llaeth

y gadlas

siambr ffrynt   siambr gefn

taflod uwchben

Wedi darllen y disgrifiad nodweddiadol fanwl hwn, siawns nad oes darlun clir o du mewn i'r tŷ yn ymddangos o flaen eich llygaid. Ble'r aeth darbodusrwydd bellach tybed?

Dyma'r rhai fu'n ymwneud â Chae'r Gors o'r dechrau, ers pan godwyd y tyddyn yn 1827 neu 1833:

1827/33 – Robert Pritchard a'i deulu oedd y preswylwyr cyntaf mae'n debyg.

1841– Cyfrifiad – Robert Pritchard.

1840au cynnar – Cynhaliwyd Ysgol Sul yma. Codwyd capel Rhosgadfan yn 1861.

1850 – Degwm – y preswylydd oedd Anne Williams.

1851 – Cyfrifiad – Owen Jones, Bodgadfan, yn enedigol o blwy Llanwnda a'i wraig Anne, merch Wernlas Ddu, Rhostryfan.

1861 – Anne Williams, penteulu.

1883 – Marw Owen Jones.

John Jones, ei fab, a'i wraig Mary Thomas/Jones, Penrhos.

1892 – Marw John Jones.

Mary yn symud i Fod Elen, tŷ moel yn Rhosgadfan a adeiladwyd ar ei chyfer, Glanfa yw ei enw heddiw.

1895 – Owen a Catherine Roberts, rhieni Kate Roberts, yn symud o Fryn Gwyrfai.

Rhentu'r lle gan Mary Jones.

Owen yn gweithio yn chwarel y Cilgwyn rhwng 1861 ac 1907; yna cyfnod yn Lerpwl ac yn chwarel Cors y Bryniau tan 1927 pan oedd yn 79 oed.

1901 – Cyfrifiad – Owen 50, Catherine 46, ½ brawd John 17, Kate 10, Richard 8, Evan 5, David 2, ½ chwaer Jane yn ymwelydd cyson.

1921/23 – Owen a Catherine yn symud i Faesteg, tŷ moel yn Rhosgadfan.

1921/23 – John a Jane Jones.

1926/28 – John a Jane yn symud i Dy'n Llwyn.

John William Hughes, Bryn Awelon, *entrepreneur*, gwerthwr glo, chwarelwr yn Fron a Hen Fraich, a gyrrwr y bws cyntaf o Rosgadfan i Gaernarfon.

1931 – Marw Owen Roberts, Maesteg.

1932 – JWH yn gwerthu'r tyddyn i William Richard Hughes, ei dad.

1959 – Gwerthu'r lle i Thomas Gwilym Hughes ac Elen, mab i frawd JWH. Dyma'r preswylwyr olaf.

1961 – TGH yn gwerthu i Brian a Rosina Jones, ond ni fuont yn byw yno.

1964 – Kate Roberts yn penderfynu prynu Cae'r Gors i'w roi i'r genedl er cof amdani hi a'i gwaith.

1965 – BJ yn gwerthu'r tŷ (ond nid y tir) i ofal ymddiriedolwyr (Islwyn Ffowc Ellis, John Gwilym Jones, R.E. Jones, Elwyn Roberts,Cassie Davies, J.R. Cadwaladr, Ifor Wyn Williams a J.E. Jones) i'w gadw fel adfail rheoledig.

1971 – Kate Roberts yn cyflwyno'r tŷ i'r genedl.

1995 – Penderfynu dechrau codi arian i adnewyddu Cae'r Gors. Guto a Marian Roberts fu'n bennaf gyfrifol am ddechrau'r gwaith.

1997 – dau o'r ymddiriedolwyr, Islwyn Ffowc Ellis ac Ifor Wyn Williams, yn cyflwyno Cae'r Gors i Gyfeillion Cae'r Gors. Guto a Marian Roberts, Eirug Wyn a Norman Williams yn bennaf gyfrifol am ddechrau ymgyrch codi arian i adnewyddu'r tŷ.

2005? – Sefydlu Canolfan Dreftadaeth Cae'r Gors.

Roedd Richard Cadwaladr (1819-1893), taid Kate Roberts ar ochr ei mam, yn dod o Lanaelhaearn yn wreiddiol. Bu'n gweithio yn chwarel Dinorwig, priododd Catrin Robinson (1827-1912) o'r Groeslon ac aethant i fyw i Bantycelyn, Caeau Cochion ar gyrion Rhostryfan. Cawsant dri ar ddeg o blant a bu deuddeg fyw i oedran priodi.

O Lŷn y deuai teulu ochr tad Kate Roberts. Symudodd ei hen daid a nain o Garn Fadryn i Lanllyfni ac yna i Hafod y Rhos ar Foeltryfan.

Adeiladwyd Brynffynnon yn 1836 a bu John Hughes (m.1847) o deulu Wernlas Ddu a'i wraig Catherine (m.1871) o Danyrallt yn byw yno. Yn 1851 symudodd Owen Roberts a Catherine, taid a nain Kate Roberts yno, gydag Owen, tad Kate Roberts, yn saith mis oed ar y pryd a Robert ei frawd tua dwyflwydd. Oddeutu 1901 symudodd y ddau i Hafod-y-rhos Isa a bu Owen Roberts farw yn 1904 yn 77 oed. Parhaodd cyswllt rhwng y teulu a Brynffynnon gan mai ffeirio tŷ â Kate eu merch a'i gŵr a wnaethant, a bu Morris eu mab hwythau yn byw yno wedyn. Mae beddau'r ddwy genhedlaeth, tad a mam a thaid a nain Kate Roberts, ym mynwent Rhosgadfan. Mae hanes y teulu yn nodweddiadol o gefndir y tyddynwyr cynnar: symud i'r ardal o rannau isaf plwyfi cyfagos, yna o Fôn a Llŷn, gyda dipyn o fynd a dod wedyn o ddyddyn i ddyddyn neu i dŷ moel ym mlynyddoedd henaint, a'r mudo yn fudo agos, oll o fewn yr ardal.

Mae'n werth dyfynnu'n llawnach o lyfryn *Tŷ a Thyddyn* Thomas

Parry am ei fod yn rhoi darlun byw a manwl o fywyd tyddyn. Un o gyfres darlithiau blynyddol Llyfrgell Penygroes yw'r llyfryn ac ers cyhoeddi'r ddarlith gyntaf yn 1967 gan Gwilym R. Jones, cawsom sawl darlun gwerthfawr o wahanol agweddau o fywyd yn Nyffryn Nantlle. Mae'n gyfres amhrisiadwy i rai sy'n ymddiddori mewn hanes lleol.

Rhyw bedair neu bump acer, ar y mwyaf, wedi ei ennill o'r mynydd oedd y tyddyn, ac nid oedd y pridd fawr mwy na dyfnder rhaw, ond yn rhyfedd o doreithiog oherwydd yr aredig cyfnodol a'r gwrteithio rheolaidd. Gwair oedd y prif gnwd, ond tyfu hefyd ddigon o datws am y flwyddyn a rwdins a moron a ffa a phys. Ambell dro fe fyddai clwt bach o geirch yn cael ei hau, ac wedi ei gynaeafu ei ddyrnu â ffust . . . Mynd â'r grawn i Felin Llwyn Gwalch er mwyn cael defnydd uwd a bara ceirch . . .

Un o broblemau tyddyn fel y Gwyndy lle'r oeddem ni yn byw oedd porfa yn y gwanwyn. Yr oedd yno saith o gaeau – cae cefn tŷ, cae winllan eithin, cae talcen gadlas, cae bach, cae pella, cae isa a'r cae o flaen drws. Y cae o flaen y drws oedd yr unig un oedd yn cael ei bori, ond yr oedd rhaid cael rhywle i'r ddwy fuwch tra byddai'r borfa gynnar yn glasu, a'r mynydd oedd hwnnw. Blewyn cwta iawn oedd ar y mynydd, ond byddai'r gwartheg yn ffynnu'n rhyfedd arno am rai wythnosau bob gwanwyn. Yr oedd gennym ni ffynhonnell arall hefyd. Yr oedd chwaer i'm nain, Anti Margiad, yn byw efo'i mab, John Roberts, ym Mhen-ffynnon-wen yn ochr y Cilgwyn, a chanddi ryw ddau glwt bach o gaeau, a byddem yn cerdded y gwartheg i'r fan honno yn y bore a'u nôl yn y pnawn, rhyw filltir o ffordd. Peth hawdd iawn oedd cerdded anifeiliaid hyd y ffyrdd y pryd hwnnw achos doedd dim trafnidiaeth gwerth sôn amdani. Pan fyddai'r gwartheg yn pori'r mynydd, fe ddoent adref ohonynt eu hunain yn gwbl ddidramgwydd, a thua pedwar o'r gloch fe welid buwch pob tyddyn yn disgwyl yn amyneddgar wrth ei llidiart ei hun. Un o orchwylion pwysicaf y tyddyn oedd cael y gwair i gyfarchwyl rywdro tua dechrau neu ganol Gorffennaf. Torri'r gwair â phladuriau oedd y drefn gyntaf imi ei chofio, a rhai dyddiau cyn yr amser i dorri byddai raid llifo'r rheini ar y maen. A dyma un enghraifft o gydweithio. Yr oedd gair da i'm tad am wneud min ar bladuriau, a byddai rhai o'r cymdogion yn dod â'u pladuriau i'r Gwyndy iddo ef eu trin . . .

Doent yno wedyn i ladd y gwair, a golygfa odidog oedd pedwar neu bump o bladurwyr cryfion yn swingio'r bladur trwy'r gwair gyda symudiadau rhwydd a rheolaidd, ac ôl eu traed yn ddwy res gyfochrog rhwng y gweneifiau . . . Os byddai'r tywydd yn deg, fe fyddai'r gwair yn barod i'w gario i'r gadlas a'i wneud yn das ymhen ychydig ddyddiau. Byddai stôl y das, sef ei sylfaen, wedi ei pharatoi efo eithin mân o'r mynydd neu redyn . . . Ar y diwrnod cario deuai nifer go dda o'r cymdogion yno i helpu; yn wir hebddynt hwy ni ellid cael y gwair i ddiddosrwydd. Yr oedd gwaith y diwrnod yn un o'r gorchwylion mwyaf trefnus a systematig, ac o ganlyniad yn hynod effeithiol.

Byddai rhyw hanner dwsin o ferched yn dechrau cribinio gyda un ochr i'r cae nes cael rhenc go sylweddol. Yna yr oedd dyn â phicwarch, a'i swydd ef oedd gosod swm o wair ar raff ddwbl yn rhedeg trwy ddolen bren. Yn ei ddilyn ef yr oedd dyn arall yn clymu'r baich a'i godi ar ben y cariwr, a hwnnw wedi clymu barclod am ei ben, a'r llinynnau am ei ganol, rhag i'r had gwair fynd rhwng ei grys a'i groen. Yn y dull hwn gallai criw o ryw ddwsin, yn cynnwys pedwar cariwr, glirio cae mewn byr amser, yn gynt yn wir na throl a cheffyl.

Tŷ a Thyddyn, Thomas Parry

Dringo i'r bonc; datod y clymau tyn
A roed pan blygwyd y mynyddoedd hyn,
Rhoi rhaw yn naear ddicra'r Cilgwyn noeth,
A phladur yn ei fyrwellt hafddydd poeth –
Troi dy dawedog nerth, aberth dy fraich,
Yn hamdden dysg i ni, heb gyfri'r baich.

'*Fy Nhad*', Thomas Parry

Disgrifia ei frawd, Gruffudd, ollwng y gwartheg yn rhydd i bori ar y comin:

Fydd yna ddim llawer o wahaniaeth yn y mynydd yn yr haf a'r gaeaf – y mawredd di-dymhorau. Ac eto, y mae o wedi newid ei liw ryw ychydig erbyn dechrau haf fel hyn a'r byrwellt rhwng y tociau eithin wedi glasu. Mae gan y ddwy eu llwybr ar y dorlan wrth ochr y lôn lle mae'r fforddolion yn ddynion ac anifeiliaid wedi gwisgo'r ddaear yn goch wrth osgoi y metlin a'r cerrig. Dim ond agor giât y mynydd fydd eisio iddyn nhw ac mi ffendian 'u ffordd i wastad Pant yr Eira neu yn uwch, a wêl neb mohonynt nes y bydd hi yn amser godro gyda'r nos ac yn amser i'r dynion ddod o'r chwarel.

Blwyddyn Bentra, Gruffudd Parry

Priododd John Roberts, mab Pen-ffynnon-wen, fy nain ac ef oedd ei hail ŵr hi, nid fy nhaid trwy waed ond dyma'r unig daid a gofiaf. Yn nhŷ arall Pen-ffynnon-wen y ganed fy mrodyr ac yno y buont nes eu bod yn chwech a naw oed, yn gymdogion i Nain a Taid a'u plant ieuengaf. Erbyn i mi ddod i'r fei roedd y ddau deulu'n byw y drws
• nesaf ond un i'w gilydd yn y tai cyngor newydd yng Ngharmel, wedi eu gorfodi o'u tyddynnod ar ochrau'r Cilgwyn gan Gyngor Dosbarth Gwyrfai. Dyna gyfnod dechrau colli gafael ar y tyddynnod.

Cofiaf innau yr union ddull o gario gwair y sonnir amdano uchod pan awn gyda 'nhad i'r tyddynnod cyfagos, Ty'n Gadlas, Caesion Isa, Bryn Derwen a Maes Gwyn yn enwedig. Cribiniau a phicweirch yn rhes wrth y giât yn aros am ddwylo parod. Cribinio efo'r merched fyddai'r plant fel arfer. Cofiaf hefyd fod rhaffau byrrach i'w cael ac o'r herwydd byddai'r llwyth yn ysgafnach arnynt, ac awchem ni lanciau nes dôi'r dydd y cyfrifid ni'n ddigon mawr a chryf i gario baich, ond bachgen go ysgafn o gorff oeddwn i, gwaetha'r modd! Byddai 'nhad, fel eraill, yn fodlon colli hanner stem o gyflog i dalu cymwynas, yn enwedig pan fyddai argoelion fod y tywydd ar dorri a brys gwyllt i gael y gwair dan do.

Nid oedd 'nhad yn cadw anifeiliaid heblaw ieir, ond byddai buwch Bryn Glas yn pori ar un o'r caeau, a Bryn Glas gâi'r gwair o'r cae arall hefyd fel rheol, yn gyfnewid am lefrith a menyn. Arferai 'nhad dorri'r gwair yn yr ardd gefn gyda'r bladur a ddaeth efo fo o Ben-ffynnon-wen a gwyliwn innau o wrthi, a'r gwair yn gorwedd mor ddiymdrech. Pan ddeuthum yn ddigon hen i roi cynnig arni, buan y deallais nad bôn braich yn unig oedd pia hi.

'Paid â chwffio efo hi; gad i'r llafn redag yn llyfn, cael *swing* iawn sydd isio,' fyddai cyngor 'nhad. Mae'r hen bladur yn y cwt acw ond feiddia' i mo'i defnyddio gan fod y goes yn berwi o dyllau pryfed. Ond gallaf edrych arni o hyd . . .

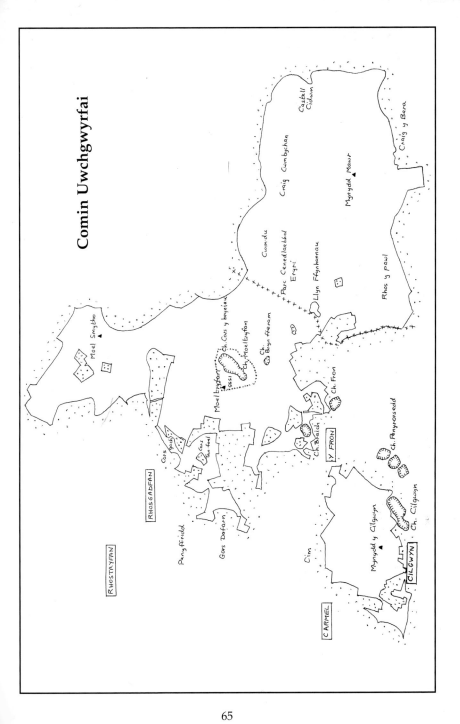

Comin Uwchgwyrfai

Cae'r Gors, cartref Kate Roberts

Ty'n Llwyn, Rhosgadfan

Bryn Ffynnon, Rhosgadfan, cartref taid a nain Kate Roberts

Bryn Hafod, cartref Lisi Jones yn blentyn

Hollti a naddu

Capel Hermon, Moeltryfan

Capel Cilgwyn

Chwarel Cors y Bryniau

Cytiau Coed-y-brain

Safle Gwerin y Graith, Parc Glynllifon: dyfyniad o Y Lôn Wen, *Kate Roberts*

YR HÊN CHWARELWR CYMREIG

WYN WILLIAMS

Y Gwyndy, Carmel – cartref teulu Thomas a Gruffudd Parry

Chwareli Cilgwyn a Phenyrorsedd a Dyffryn Nantlle

Mynydd y Cilgwyn a Chwarel y Cilgwyn

Yr Eifl o Foel Smytho

74

Mynydd Mawr, Moeltryfan a'r Fron

Cors y Bryniau a Moeltryfan

Blaenfferam, Y Fron

Moeltryfan o ochr y Fron

Penffynnon-wen, Y Cilgwyn
(llun: Ieuan Thomas)

Tŷ Newydd, Ochr y Bryn

Tal-y-braich, Moel Smytho

Naddu ar y drafael

Hollti

TYDDYNNOD Y CILGWYN

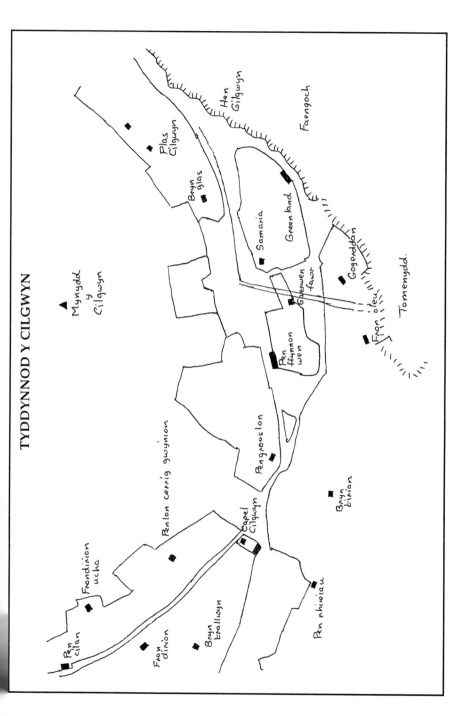

Mynydd y Cilgwyn

Plas Cilgwyn

Bryn glas

Hen Gilgwyn

Faengoch

Samaria

Greenland

Gogerddan

Goewen fawr

Fron bleu

Tomenydd.

Pen ffynnon wen

Pengroeslon

Penlon cerrig gwynion

Bryn einion

Frondirion ucha

Capel Cilgwyn

Pen cilan

Faon dinion

Bryn Erallwyn

Pen rhiwiau

Dyma bennill o gerdd gan ewythr i mi a faged ym Mhen-ffynnon-wen:

Hen Gilgwyn, mae rhamant yr oesau a fu
Yn hofran o amgylch dy gopäu yn llu;
A lleisiau'r gorffennol o hyd yn y gwynt,
Yn adlais ddi-ddarfod o'r hen amser gynt,
A thithau, os hoffet cyn dyfod dy ddydd
Gael teimlo dy galon yn ieuanc a rhydd,
Clyw gyngor y prydydd, 'Dos rhagot a saf
Ar ben mynydd Cilgwyn ar ddiwrnod o haf'.

'Cilgwyn 1934', Griffith John Roberts

Tua phedair ar hugain oed oedd f'ewythr yn ysgrifennu'r gerdd uchod, a dyma gerdd arall o'i eiddo mewn ymateb i'm cyfrol o deithiau cerdded, *Llwybrau Lleu*, bron i hanner canrif yn ddiweddarach, ond mae'r hudoliaeth a'r hiraeth yn parhau:

Dilynais lwybrau Lleu o gadair esmwyth,
Heb chwys ar ael na gwlychu troed,
Heb gymorth ffon na baich ysgrepan lwythog
A da oedd hyn o gofio'm hoed.

Es eto'n ôl ar adain atgof
I'r hen gynefin erwau wyddwn gynt,
Ac nid oedd taith i'r Foel a Llyn Ffynhonnau
Ond cam neu ddau heb golli gwynt.

A phrofi eilwaith ramant bro fy mebyd
Blasu o rin y dyddiau pell,
Y byd di-goed a'r glas domennydd llechi,
Ein nefoedd oedd, ni wyddem well.

Yr hen, hen enwau, mor hudolus yn awr,
Fel yn yr amser gwyn a fu,
Penffynnon Wen, Samaria, Cae Aeronwy,
Llwyn Gwalch, Bryn Neidr a Phant Du.

Mae'n debyg na chaf mwyach dramwy trostynt,
Na dilyn llwybrau Lleu byth mwy,
Ond diolch am eu rhoi ar gof a chadw,
O gau fy llygaid, rhodiaf hwy.

Griff, 1981

Heb beiriannau fel sydd i'w cael heddiw, golygai gryn lafur gyda chribiniau a phicweirch i gario gwair, a'r tywydd anwadal yn gofyn am frys gwyllt pan sychai'r gwair yn braf:

Mae hi'n fore poeth ym mis Gorffennaf, diwrnod cario gwair. Bydd 'nhad a ffrindiau o'r chwarel yn dyfod adre tua hanner dydd, ac mae tipyn o gymdogion wedi dwad yn barod ac wedi dechra troi'r gwair. Yr wyf yn clywed swn y cribiniau yn mynd yr un amser â'i gilydd i gyd a'r gwair yn gwneud swn fel papur sidan. Cyn mynd allan i'r cae yr wyf yn mynd i'r tŷ llaeth unwaith eto i gael sbec ar y danteithion. Mae rhesiad hir o ddysglau cochion ar y bwrdd yn llawn o bwdin reis a digonedd o wyau ynddo, ac wyneb y pwdin yn felyn ac yn llyfn fel brest y caneri sydd yn ei gats wrth ben y bwrdd. Mae ei oglau a'i olwg yn tynnu dŵr o'm dannedd. Yr wyf yn meddwl tybed a fydd digon i bawb. Nid ydym i ofyn am ragor o flaen pobl ddiarth. Wedi mynd i'r cae yr wyf yn treio troi efo chribin, ond mae'r gribin yn rhy fawr, ac mae fy nhroad yn flêr. Mae breichiau'r merched i gyd yr un fath ac yn symud efo'i gilydd, ac y maent yn mynd i lawr ac i lawr i waelod y cae cyn troi a dyfod i fyny ac i fyny wedyn, yr un fath a'r un amser a'r un swn dyd-dyd o hyd.

Y Lôn Wen, Kate Roberts

Dyna i chi fanylu nodweddiadol o Kate Roberts. Fedrwch chi glywed swn y cribiniau ac arogli'r pwdin reis tybed?

Treuliodd y llenor a'r bardd gwlad Lisi Jones ei hoes ym mhentref y Fron. Clywn 'Nhad a Mam yn cyfeirio ati fel Lisi Jones Garreg Fawr.

Un o Gaergybi oedd fy nhaid . . . Daeth i ardal y Fron i weithio yn y chwareli fel labrwr gan nad oedd ganddo gefndir chwarelyddol. Fy amcan yn crybwyll mai labrwr ydoedd yw fy mod yn ei theimlo'n fraint cael talu teyrnged i Nain fel mam a gwraig tŷ . . . Fethodd hi 'rioed â chael deupen y llinyn ynghyd. Yn hytrach byddai ganddi ychydig yn weddill. Cofiaf Mam yn dweud fel y byddai hi yn blentyn yn mynd â thorth i gymdoges fach unig a drigai ar ei phen ei hun ar fryncyn cyfagos am ei bod yn gorfod dibynnu ar garedigrwydd cymdogion.

I fagu ei phlant, arferai fy nain ddelio trwy bryniant crynswth. Sachaid o flawd, bagiaid o flawd ceirch a siwgr, cosyn o gaws ac ochr o gig mochyn. Gwnai frôn o ben dafad neu fochyn a buasai gwneuthurwyr brôn y dyddiau hyn yn falch o gael ei rysait . . .

Y tŷ yr aethom ni i fyw ynddo oedd Bryn Hafod, yn glos wrth droed y Mynyddfawr . . . Fuom ni ddim yn hir ym Mryn Hafod ond gadawodd y profiad o fyw yn yr awyrgylch argraff annileadwy arnaf yn blentyn chwilfrydig. Roedd coeden onnen ger ffrynt y bwthyn a phan ddôi'r gwanwyn arferid hongian ar ei changen gawell y pâr o ddurturod a oedd gennym ac un tro daeth y gôg yno ac fe safodd ar y gangen a dechreuodd y tri aderyn gyd-ganu o'i hochor hi. Digwyddiad unigryw hyfryd ydoedd a deil ei nodau i atseinio ar fy nghlyw.

Lawer gwaith y bûm i hefyd gyda'r hynafgwr Daniel Robaits, y Penrhyn, yn danfon yr hen fuwch ddu i bori yng nghae Bryn Castell, tyddyn bychan a oedd ar lechwedd y Mynyddfawr. Roedd y tŷ wedi hen ddadfeilio y pryd hwnnw ac y mae'r brwyn a'r crawcwellt wedi cymryd lle'r borfa ers cantoedd. Difyr fyddai mynd ar ddyddiau diofidiau i hel llus, creiglys hefyd a llygaeron a chael teisen neu darten, tra parhai eu tymor.

Dwy Aelwyd, Lisi Jones

Dim ond rhyw lathen neu ddwy o'r waliau sy'n aros o'r Penrhyn, digon i roi ychydig gysgod i ddafad neu gerddwr ar y llwybr agored. Mae adfail Bryn Hafod ymysg clwstwr o dyddynnod rhwng Llyn Ffynhonnau, y Fron a Nantlle, lle hudolus yn wynebu'r haul a mynyddoedd Crib Nantlle, a gwelir gweddillion sgwaryn o waliau uwchben Llyn Ffynhonnau ble gynt roedd Bryn Castell ar ei ben ei hun bach ar lethr y mynydd. Roedd hwn yn adfail tua chan mlynedd yn ôl hyd yn oed.

Hen Dŷ

Muriau chwâl ac anialwch, – wedi mynd
   Y mae pob rhyw degwch –
   Y tân hwyr a'r tynerwch
   A'r llaw a fu'n sgubo'r llwch.

Alun Jones

Yr oedd yn fyd cyfyng, rhwng y tyddyn a'r chwarel, gwaith a gorffwys a rhygnu byw ac amgylchiadau bywyd y gwragedd yn fwy cyfyng fyth a hwythau'n gaeth i rigolau bywyd.

'Hylo-i,' dros y tŷ. Dafydd Gruffydd oedd yn deffro i fynd at ei waith i'r chwarel am chwech ar gloch fore dydd ei ben blwydd yn ddeg a thrigain oed . . .

Un gartrefol iawn a fuasai Beti Gruffydd erioed. Nid oedd lle i lawer heblaw gwaith a thrin llaeth a menyn yn ei bywyd. Gartref yr oedd ei diddordeb. Pan gymerai ddiddordeb mewn rhywbeth y tu allan i'w thŷ, trwy lyfr neu bapur newydd y deuai hwnnw . . . Ni bu erioed yn y chwarel. Nid oedd ganddi'r syniad lleiaf mewn pa fath le y gweithiai ei gŵr. Y cysylltiadau nesaf rhyngddi a'r chwarel oedd tun bwyd ei phriod, ei ddillad ffustion a'i gyflog yn llwch chwarel i gyd . . .

Yr oedd pum pwys o fenyn ar y llechen gron, y corddwr yn sychu allan yn yr haul, a'r tŷ wedi ei lanhau erbyn i Ddafydd Gruffydd ddyfod adref ganol dydd. Ar ôl ei ginio o datws newydd a llaeth enwyn, cychwynnodd allan i dorri'r drain yn y caeau. Felly y gwnâi bob pnawn Sadwrn, a gyda'r nos âi allan i wneuthur rhywbeth o gwmpas y fferm. Ni welid ef byth yn segur. Ar un wedd yr oedd cylch ei fywyd cyn gyfynged ag eiddo ei briod. Cymysgu â'r chwarelwyr yn unig ai gwnâi yn lletach.

Syllodd arno eto yn chwifio'r cryman fel y gwynt a rhyw gwyno yn dyfod o'i frest fel carreg ateb gyda phob trawiad.

A meddyliodd rhyngddi a hi ei hun, 'Mi fydd yn gorfadd yn yr hen fynwant acw ymhen tipyn, a'i ddwylo dros 'i gilydd am byth.'

Rhigolau Bywyd, Kate Roberts

Er y gallai bywyd ar ddyddyn fod yn andros o galed, roedd ymlyniad rhyfedd at y ffordd unigryw o fyw, a deuoliaeth rhwng

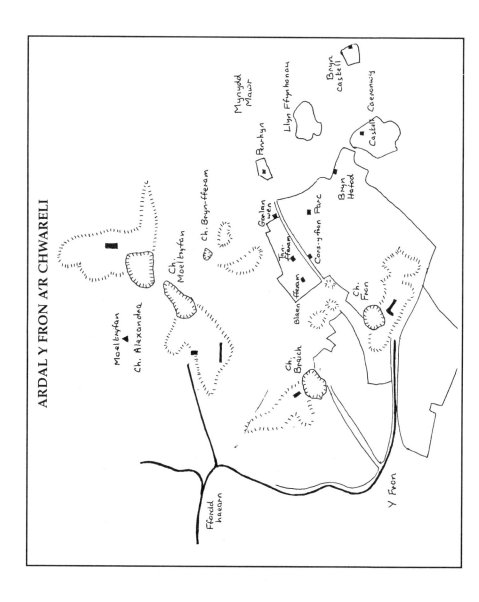

ARDAL Y FRON A'R CHWARELI

Ffordd haearn

Y Fron

Moeltryfan
Ch. Alexandra

Ch. Moeltryfan

Ch. Bryn-ffeam

Ch. Bruich

Blaen ffeam

Tan-y-ffeam

Gwlan wen

Cors-y-ffin Parc

Bryn Hafod

Ch. Fron

Parhyn

Mynydd Mawr

Llyn Ffynhonau

Bryn castell

Castell Caenonwy

86

diwydiant ac amaeth a'r boddhad a geid o drin tir a magu da, fel ag a welir yn y dyfyniad canlynol:

Un o'r boreau hynny yn yr haf ydoedd, pan fydd edafed y gwawn yn dew, neu'n hytrach yn deneu ar hyd y perthi, a sŵn traed a siarad chwarelwyr i'w glywed fel sŵn gwenyn yn y pellter agos. Safai William Gruffydd â'i bwysau ar ddôr fach yr ardd a'i olygon yn edrych ymhell, heb fod yn edrych i unman yn neilltuol. Yr oedd rhyw olwg hiraethus yn ei lygaid; ond, o ran hynny, fel yna'r edrychai William Gruffydd bob amser . . . Y bore hwn edrychai'n fwy hiraethus nag arfer, ac yn rhy synfyfyriol i gymryd sylw o'r chwarelwyr yn codi eu dwylo arno wrth basio.

Yr oedd tair blynedd bellach, er pan roddodd oreu i'r chwarel a symud o Fryn y Fawnog i Fodlondeb, o'r tyddyn i'r tŷ moel. Ychydig cyn hynny aethai Guto ei fab i'r Merica, ac ef a ddarbwyllodd ei rieni i symud i'r tŷ moel a gadael y chwarel er mwyn gorffwys tipyn ar ddiwedd eu gyrfa. Ond bu Margiad farw ymhen dwy flynedd ar ôl symud; a'i geiriau olaf hi oedd am wartheg a moch ac anifeiliaid felly . . .

Wedi marw Margiad cafodd eneth i gadw'i dŷ, ond ni welai hi na'r tŷ fawr arno o fore hyd nos, treuliai ei amser a'i bwysau ar ddôr yr ardd neu'n siarad â dynion trwsio'r ffordd. Mewn gair, yr oedd ar goll o'r dydd y gadawodd y chwarel. Y mae'n wir bod ganddo atgofion melys am Fryn y Fawnog.

'Newid Byd', *O Gors y Bryniau*, Kate Roberts

Diddorol yw sylwi ar ei dewis awgrymog o enwau i'r ddau gartref – Bryn y Fawnog yn awgrymu caledi a Bodlondeb yn awgrymu hawddfyd, ond nid felly y gwelai William Gruffydd hi o gwbl.

Felly y ffurfiwyd tirlun unigryw ar y llechweddau drycinog; patrwm o dyddynnod a'u caeau bychain o fewn tafliad carreg i'r chwareli, a'r chwarelwr-dyddynnwr a'i deulu yn trin y tir llwm a'r cyfan yn dibynnu ar lwyddiant y diwydiant llechi. Diflannodd y ffordd yma o fyw ond erys y dystiolaeth fud. Cofrestrwyd yr ardal hon bellach, ynghyd â gweddill Dyffryn Nantlle, yn Dirlun o Ddiddordeb Hanesyddol Eithriadol gan CADW a dynodwyd nifer o'r tyddynnod yn Adeiladau Rhestredig, fel y cadwer i'r oesoedd a ddêl y prysurdeb a fu.

Adeiladau Rhestredig CADW yng nghyffiniau'r comin:

Plwyf   Betws Garmon – Tal-y-braich
Llanwnda – Ty'n Llwyn, Glan-gors, Cae'r Gors, Rhosgadfan, Tyddyn Difyr, Ty'n Twll, Pen-y-bwlch, Gorphwysfa, Tegfan.
Llandwrog – Tyddyn Engan, Bwthyn Buarth Newydd, Buarth Fawr, Caeronwy Isaf, Pen-bwlch Bach, Bwlch-y-ffordd, Tŷ-newydd.
Llanllyfni – Parc.

Symudwyd tŷ tyddyn Llainfadyn o Ros-isa i Sain Ffagan yn 1956 ac yn 2002 aethpwyd â beudy Cae Adda, Waunfawr yno a'i osod wrth ochr Llainfadyn. Dyma ddisgrifiad o Lainfadyn:

Daeth clogfeini enfawr y muriau o'r caeau cyfagos, gydag amryw ohonynt yn cyrraedd drwy'r holl fur a'u pennau yn gwthio allan ar yr ochr allanol. Mae'n hawdd gweld o'r tu allan pa un yw'r ystafell fyw, yr un gyda chorn simdde a ffenestr. Nid oedd angen tân yn y pen arall, na chymaint o olau chwaith. Rhwng y drws a'r ystafell fyw mae llechen enfawr i gadw'r gwynt o'r tân. Ar y silff-ben-tân cerfiwyd y dyddiad adeiladu, 1762. Oddi tan y tân mae haearn a thyllau mân ynddo a thwll oddi tano, yr 'uffern'. Yn lle mynd â'r lludw allan bob dydd câi ei sgubo i'r uffern ac yna eid â'r cwbl allan ddiwedd yr wythnos. Roedd y llecyn cynnes yma yn ddelfrydol i roi cywion gwan i gryfhau, a dyna un dehongliad o'r dywediad, 'Cyw a fegir yn uffern, yn uffern y mynn fod'. Mae llawr y tŷ o bridd, wedi caledu. I gadw'r tamprwydd rhag codi at y dodrefn gosodwyd hwy ar blatffform isel o lechi. Peth hynod arall yw'r car bara yn hongian o'r to, i gadw bwyd o afael dannedd llygod. Mae hanner arall y tŷ wedi ei lenwi â dau wely bocs. Dyma fel y disgrifwyd y math yma o dŷ yn 1811: 'Mae eu tai wedi eu dodrefnu yn dda, a sgleinia cloc, chestardror, cypyrddau pres i ddillad, llestri a phiwtar oll yn eu lle; a chedwir y tywydd allan o'u gwelyau gan eu byrddio uwchben ac ar dair ochr, fel yr edrychant megis math o focs.' Uwchben y ddau wely bocs rhoddwyd planciau i ffurfio math o lofft agored. Rhaid oedd cael ystol i fynd iddi. Oherwydd hyn, gelwir y math hwn o adeilad yn 'fwthyn croglofft' neu 'dŷ taflod'. Cysgai'r rhieni a'r plant hynaf yn y gwelyau a'r plant ieuengach yn y daflod. Mewn enghreifftiau diweddarach o'r math hwn o dŷ rhoddwyd llofft iawn uwchben y rhan yma o'r tŷ, gyda'i ffrynt wedi'i chau. Mae'r bwthyn croglofft yn ffurf gyffredin iawn o dŷ ar hyd arfordir gorllewinol Cymru o Fôn i Benfro, a adeiladwyd rhwng 1770 ac 1870. Llainfadyn yw'r enghraifft ddyddiedig cyntaf mewn gwirionedd.

Amgueddfa Werin Cymru

Diweddwn drafod bywyd y tyddynwyr gyda sylwadau'r Dr R. Alun Roberts yn ei ddarlith *Y Tyddynnwr-Chwarelwr yn Nyffryn Nantlle*. Tyddynwyr oedd ei ddau daid ef, sef William Thomas, Glan Gors, Tanrallt ac Owen Roberts, Bryn Ffynnon, Rhosgadfan, a oedd hefyd yn daid i Kate Roberts.

Felly i ni oedd yn gaeth i aelwyd ein tyddyn ein hunain dros ran helaeth o'r flwyddyn, ein câr arbennig ni oedd ein haelwydydd a'n bywyd a chylch amaethyddol y cartref a oedd yn cyfrif yn bennaf o ddigon . . .

Rhywbeth pell ac ar y cyrion oedd y chwarel rywsut a'r tyddyn yn glos atom ac yn cau amdanom mewn anwyldeb drwy'r amser . . .

Ond yr oedd cymdogaeth dda yn ffynnu yn rhagorol yr un pryd, a chyfleusterau cyson i bobl estyn cymwynas a help llaw i anffodusion. Trefnid budd gyngerdd i rai mewn anffawd megis colli buwch neu amgylchiadau chwithig o unrhyw achos, ac yr oedd llaw agored iawn ar achlysuron megis priodasau i gychwyn cartref. Yr oedd teyrngarwch a chymwynas ariannol, yn arbennig iawn ar farwolaeth mewn offrwm, a pherthynas gwaed yn cyfrif yn neilltuol ar awr o gyni o unrhyw fath. A gofal yr ieuainc am ffyniant yr hen yn ddylestwydd a dderbynnid yn ddiamod . . .

Y wraig dda ar y tyddyn yn trafod yr ymenyn a'r wyau ac yn eu cyfnewid yn siop y pentre am nwyddau, megis siwgr a the a chig, a'r pryd hwnnw yn pobi ei bara ei hun, ac yn frenhines ar ei haelwyd . . .

Bywyd agos at natur oedd bywyd y tyddyn, a dim cyfathrach â'r pentre o ddydd i ddydd yn rheolaidd. Rhod y tymhorau, yn fwy na dyddiau mewn almanac yn darnodi'r dyddiau, er bod almanac wrth law ar yr aelwyd. a glesni gwanwyn a dalen felen yr hydref yn dra amlwg ac arwyddocaol . . .

Wrth y tŷ, corlan y defaid a'r llyn corddi, a'r ardd. Yno y tyfid y tatws cynnar, cwsberis a chyrains duon a llysiau sefydlog fel 'horse radish' a wermod a chamomeil, ond yn y cae tatws, dros

dro, y tyfid cnydau un tymor fel moron, maip, ffa a rwdins. Y
ffaith oedd nad oedd lawer o orchest ar y gerddi namyn gardd
fach y wraig ger drws y tŷ lle y tyfid hoff flodau a llysiau
meddyginiaethol, canys gorhoffedd y tyddynnwr-chwarelwr
ydoedd stoc o bob math – merlen fynydd neu ddwy neu gi defaid
neu ddaeargi – stoc ac nid cnwd, am ei fod, fel dyn y tŷ moel
yntau, yn y traddodiad bugeiliol o'r cychwyn. Mae'r un mor
anodd dwyn dyn oddi ar ei dylwyth.

Y Pentrefi

Gyda'r chwareli'n parhau i ehangu a'r angen am fwy o weithwyr yn cynyddu, parhâi pobl i symud i mewn i'r ardal. Roedd ail a thrydedd cenhedlaeth yn byw ac yn gweithio yno erbyn hyn a'r angen am fwy o dai i gartrefu pawb hefyd ar gynnydd. Daeth yr amser pan nad oedd mwy o dir comin addas i godi tyddynnod arno ar gael. Y cam nesaf felly oedd codi tai moel, tai heb dir ynghlwm wrthynt a'u codi fel rheol o amgylch y ffyrdd trol a fodolai eisoes, a dyna sut y daeth y pentrefi chwarelyddol i fodolaeth. Datblygodd pentrefi Rhostryfan, Rhosgadfan, y Fron a Charmel yn ystod ail hanner y bedwaredd ganrif ar bymtheg, ar dir a oedd yn rhan o gomin Uwchgwyrfai hanner canrif ynghynt. Clwstwr o dai moel wedi eu hamgylchynu gan dyddynnod yw'r pentrefi, a hynny ar dir cymharol uchel. Fel arfer byddai'r tyddynwyr yn fodlon gwerthu darn o dir i godi tai moel arno; er enghraifft, erbyn 1890 codwyd Bryn Gwynedd a Bryn Gwyrfai ar un o gaeau uchaf Cae'r Gors. Roedd pentrefi bychain o amgylch eglwysi'r plwyfi yn Llanwnda, Llandwrog a Llanllyfni ond daeth gweddill pentrefi Dyffryn Nantlle i fodolaeth o ganlyniad uniongyrchol i dwf y diwydiant llechi yn y bedwaredd ganrif ar bymtheg, ble nad oedd pentref o gwbl cynt oni bai am ddyrnaid o dai, fel yn Nantlle er enghraifft. Codwyd pentrefi eraill cyfagos, y tu hwnt i ffin ein hastudiaeth, sef y Groeslon, Pen-y-groes, Tal-y-sarn, Nebo, Nantlle, Tanrallt, ac ehangodd hen bentref Llanllyfni hefyd.

Mae Rhosgadfan ar lethr gogledd-orllewinol Moeltryfan, yn wynebu'r môr, ar uchder o 230-280m ac o fewn cyrraedd hawdd i chwareli Moeltryfan a Chors y Bryniau yr ochr arall i'r mynydd. Mae Rhostryfan rhyw gwta filltir i lawr yr allt o Rosgadfan, ar uchder o 140-170m ac ymhellach oddi wrth y chwareli, ond yng nghanol y tyddynnod hynaf a'r hen hafotai. Codwyd y ddau bentref ar ôl 1850 ar dir comin, yn bentrefi diwydiannol gyda siopau niferus, capeli, ysgol, a rhesi o dai teras. Tai digon plaen yw'r rhain, rhai rhad ar y cyfan ac nid ydynt hanner mor ddeniadol eu pensaernïaeth â thai stad Glynllifon yn Llandwrog.

Digon tebyg yw safle Carmel ar lethr ogledd-orllewinol Mynydd y Cilgwyn, ar uchder o 220-270m, eto'n gyfleus ar gyfer chwareli'r Cilgwyn a Phen-yr-orsedd yr ochr arall i'r mynydd, ac eraill sy'n nes i'r Fron. Casgliad o dai moel sydd yma eto, terasau hirion ar y ffordd o waelodion y plwyf am y tir comin ac ar y ffordd groes, yn union uwchben hen wal y mynydd. Mae Llidiart y Mynydd ar gwr isa'r pentref.

Mae pentrefan y Cilgwyn yn nes byth, o fewn ychydig funudau ar droed i chwarel y Cilgwyn a hefyd o fewn cyrraedd chwareli llawr y dyffryn megis Dorothea a Thal-y-sarn. Clwstwr o dyddynnod, ychydig o dai moel, rhes fechan o dai a chapel sydd yno.

Lleolir pentref y Fron rhwng mynyddoedd Moeltryfan, Cilgwyn a Mynydd Mawr, yn agos i'r chwareli a grybwyllwyd eisoes ac o fewn tafliad carreg i'r Braich a'r Fron. Datblygwyd y lle o ganol y bedwaredd ganrif ar bymtheg ymlaen, yn ddau strimyn ar hyd y ffordd am chwarel Pen-yr-orsedd ac ar ochr y ffordd haearn i chwarel y Fron. Codwyd capeli a siopau yno. Bu sawl enw gwahanol ar y pentref: Cesarea (ar ôl y capel), Upper Llandwrog neu Landwrog Uchaf (yn dynodi ei safle ym mhen ucha'r plwy), Bron-y-foel (ar ysgwydd mynydd Moeltryfan), a'r enw swyddogol erbyn heddiw – y Fron.

Codwyd y pentrefi mewn cyfnod byr iawn o tua hanner can mlynedd, a oedd yn cyd-fynd â chyfnod prif dwf y chwareli. Mae'n rhaid eu bod yn lleoedd prysur iawn ar y pryd gyda thai yn codi fel madarch a phobl newydd yn cartrefu ynddynt drwy'r amser. Codwyd y capeli ar yr un pryd, a dyna pam mae nifer o bentrefi'r ardaloedd chwarelyddol ag enwau Beiblaidd arnynt, am iddynt fabwysiadu enw un o gapeli'r pentref, e.e. Carmel, Cesarea, Nebo, Nasareth, Ebeneser (Deiniolen wedyn) a Bethesda. Gan fod y tyddynnod wedi'u codi cyn bodolaeth y pentrefi, a bod cynifer ohonynt, bathwyd enwau ar wahanol glystyrau ac mae rhai ohonynt yn parhau i gael eu defnyddio heddiw:

Rhosgadfan – Hen Gapel, Pen-ffridd, Pen-ffordd a Rhosgadfan, ac ar ôl y tyddyn hynaf, sef Rhosgadfan, yr enwyd y pentref newydd yn ddiweddarach.
Rhostryfan – Caeau Cochion a Rhos-isaf.
Waunfawr – Bryn Pistyll, Bryn Eithin, Hafod Olau, Pentre Waun, Ty'n Gerddi.

Penderfynwyd ar leoliad y pentrefi yn ôl pa mor agos yr oeddent at y chwareli a ble'r oedd tir gweddol wastad ar gyfer adeiladu ar gael. Rhaid oedd gadael digon o le o gwmpas y chwareli ar gyfer ehangu pellach, ac felly codwyd y pentrefi yr ochr arall i'r mynyddoedd, ar dir llawer mwy agored i'r ddrycin, yn wynebu'r gwyntoedd o gyfeiriad yr Eifl a'r môr ond gyda golygfeydd godidog.

Yr wyf yn saith a hanner oed, yn eistedd yn y lôn wrth ymyl y llidiart. Mae carreg fawr wastad yno, a dyna lle'r eisteddaf yn magu fy mrawd ieuengaf, Dafydd, mewn siol. Mae'n ddiwrnod braf. O'm blaen mae Sir Fôn ac Afon Menai, Môr Iwerydd yn ymestyn i'r gorwel, castell Caernarfon yn ymestyn ei drwyn i'r afon a'r dref yn gorff bychan o'r tu ôl iddo. Mae llongau hwyliau gwynion, bychain yn myned trwy'r bar, a thywod Niwbwrch a'r Foryd yn disgleirio fel croen ebol melyn yn yr haul. Nid oes neb yn mynd ar hyd y ffordd, mae'n berffaith dawel.

Y Lôn Wen, Kate Roberts

Tyfodd y mân bentrefi ar gyrion y mynydd gyda'u lliaws gapeli a siopau, a phan ym 1840 y daeth y post ceiniog a galw am enw derbynniol i bob ardal, yr hyn a wnaed oedd dewis enw y capel Ymneilltuol cryfaf yn yr ardal, a dyna sut y cafodd pentrefi megis Carmel, Cesarea, Nebo a Nasareth eu henwau ac y bu i ni golli cyfleusterau i ddwyn enwau persain i liaws o fannau a oeddynt yn rhyfeddol foel a llwm eu henwau wedi'r dewis!

R. Alun Roberts

Gellid bod wedi cadw at enwau'r ardaloedd cyn bod y pentrefi e.e. Nebo – Mynydd Llanllyfni, Carmel – Bryn Melyn, Cesarea – Bron-y-foel.

They have been, perhaps, the most important legacy of the Industrial Revolution in Caernarvonshire, for they created an entirely new type of social community, with a vigorous culture and sturdy independence unsuspected by those who see only the drab exterior.

A History of Caernarvonshire, A.H. Dodd

Ac felly y datblygodd ardal ddiwydiannol gyda nifer helaeth o bentrefi agos at ei gilydd, rhai yn gymharol fychan, eraill yn ganolig eu maint, yn hytrach nag un dref fawr. Gwelir patrwm tebyg, mwy neu lai, yn ardaloedd eraill y chwareli. Oherwydd yr economi ddiwydiannol roedd mwy o amrywiaeth o wasanaethau a chyfleusterau yn y pentrefi hyn o'u cymharu â phentrefi mewn ardaloedd amaethyddol. Er enghraifft, ceid y gwasanaethau canlynol yn Nhal-y-sarn yn 1886:

Mathau o fasnachwyr a gwasanaethau 1886

cigydd 4	siop deisennau 1	grin-groser 3
feryllydd 1	gof 3	siop ddillad 5
groser 14	gwerthwyr blawd 1	gwerthwr glo 4
haearnwerthwr 2	saer coed 1	meddyg 2
llyfrwerthwr 1	swyddfa heddlu 1	llythyrdy 1
becws 1	gorsaf drenau 1	tafarn 2
ysgol 1	teiliwr 4	ficer 1
gweinidog 1	cyfrifydd 1	peintiwr 1
siop papur 1	gwerthwr insiwrans 2	cariwr 1

Soniwyd eisoes am y darlun tlawd a geir yn aml o'r gymdeithas chwarelyddol, ond nid felly yr oedd hi mewn gwirionedd yn ystod y bedwaredd ganrif ar bymtheg. Roedd y diwydiant yn tyfu, a dengys lluosowgrwydd gwasanaethau'r pentrefi fod mynd ar yr economi. Daeth dyddiau caletach yng nghyfnod rhyfel 1914-18 hyd at ddirwasgiad y 1920au a rhyfel 1939-45, ond bu cyfnod cymharol lewyrchus yn hanes y chwareli cyn hynny. Edrychai'r chwarelwyr i lawr eu trwynau braidd ar yr heidiau a ddeuai o gefn gwlad Môn i weithio i'r chwareli: 'edrychid arnynt fel anwariaid newynog yn heigio am eu bywyd i'r chwareli. I'r chwarelwr, pobl israddol oedd pobl y wlad.' ('Y Chwarelwr a'i Gymdeithas yn y Bedwaredd Ganrif ar Bymtheg,' *Cof Cenedl*, R Merfyn Jones.)

Ansefydlog braidd fu gwaith yn y chwareli yn ystod hanner cyntaf yr ugeinfed ganrif. Er bod nifer o chwareli i'w cael yn y dyffryn, fel y crybwyllwyd eisoes, a bod modd symud i chwarel arall gyfagos pe rhoddid rhywun ar y clwt, er hyn gallai amgylchiadau fod yn anodd iawn pan fyddai'r farchnad lechi yn gyffredinol wan, fel ag yr oedd hi yn y 1920au. Dyma enghraifft o'r ansicrwydd gwaith hwn:

Naw ar hugain oed oedd William ar y pryd, yn un o feibion
Glanrafon Hen, yn ddyn sengl ac felly ymysg y rhai a gafodd 'notis' i
adael. Bu'n gweithio ym Mhenyrorsedd yn ddiweddarach ac wedi
iddo briodi aeth i fyw i 'Terfyn' ar lethrau'r Foel ble y magodd Arwel
a Cedric y meibion.

Ni all neb honni fod y pentrefi hyn yn rhai deniadol o ran eu
hymddangosiad. Tai rhad, plaen a adeiladwyd, yn derasau niferus.
Roedd llawer o'r tai teras mewn cyflwr gwael, fel yn achos amryw o'r
tyddynnod. Cyfrannai cyflwr gwael y tai, diffyg dŵr glân a diffygion
dietegol at amlygiad gwahanol afiechydon megis teiffoid a'r
ddarfodedigaeth. Nid oedd pawb, wrth reswm, yn bwyta'n foethus
fel y dywedwyd am rai o'r tyddynwyr:

Cwynai'r meddygon nid yn unig am y gormodedd o de ond hefyd
am safon bwyd y chwarelwr yn gyffredinol, gormod o fara menyn
a dim digon o lysiau maethlon.

R.M. Jones

Er mai cyflwr y tai a'r diffygion dietegol a gâi'r bai yn aml gan yr
awdurdodau am gyflwr gwael iechyd y chwarelwr, nid dyna'r prif

achos, ond yn hytrach yr amodau gweithio. Y gelyn pennaf yn bendifaddau oedd llwch y garreg a achosai'r clefyd silicosis.

Mewn cyfnod diweddarach, ar ddechrau'r 1930au, gwnaed arolwg gan Dr T.W. Wade ar ran Bwrdd Iechyd Cymru i'r gyfran uchel o farwolaethau o achos y ddarfodedigaeth ymysg chwarelwyr Gwyrfai. Dyma beth o'i dystiolaeth yn yr adroddiad:

Many of the houses have no through ventilation . . . Again, the dwellings which are built frequently have their back walls almost in contact with the perpendicular mountainside, while what would appear to be suitable sites for houses seem to have been overlooked in favour of sheltered situations on low-lying, damp land. Indeed, in some parts the houses are such as one would expect to see in the slum parts of a city. The houses are for the most part solidly built, but few are provided with dampcourses, and damp walls are common.

Houses were visited in which there was no lavatory accommodation whatsoever. In some cases such dwellings were the homes of tuberculosis patients . . . Fields, waste grounds near the house, and the banks of a stream were often used for dumping the waste matter.

The diet, although usually sufficient in quantity, is often improper. Tea is still consumed to great excess and is partaken of at practically every meal. In recent years another evil has been added in the shape of tinned foods. Fresh meat is not eaten to any great extent, and is not obtainable in many parts of the district until the end of the week. There is a definite lack of fresh green vegetables in the dietary. It would be expected that in a rural area such as this, where ample land is available, no deficiency of this nature would be possible. Few of the houses, however, have cultivated kitchen gardens, and little is grown except potatoes.

The tendency of the people to congregate in ill-ventilated, overcrowded rooms, has often been cited as a cause of ill-health, for opportunities for infection are numerous. There is a natural fatalism among Celtic people . . .

Cymharwch farn y meddyg â rhai o sylwadau Lisi Jones a Kate Roberts am y bwyd maethlon a gaent hwy pan oeddent yn blant ac fe welir gwahaniaeth barn sylweddol.

Roedd diffygion sicr yng nghyflwr y tai fodd bynnag, a dyma un rheswm o bosib pam y penderfynodd Cyngor Gwyrfai godi tai cyngor yn y pentrefi chwarelyddol ar ddiwedd y 1930au. Fe'u gwelwch yn Llanllechid, Bethesda, Dinorwig, Deiniolen ac yn yr ardal hon. Nid oeddynt yn dai moethus o bell ffordd ond bûm i'n berffaith hapus pan oeddwn yn blentyn ym Maes Hyfryd yng Ngharmel.

Roedd Carmel yn bentref eithaf hunan-gynhaliol pan oeddwn i'n blentyn yn y 1940au a'r 1950au. Roedd y byd yn un llawer mwy cyfyng na heddiw ond roeddem yn fodlon iawn serch hynny. Byddai Mam yn siopa am ein bwyd i gyd yn y pentref, ac roedd yno ddewis o siopau bwyd, tri becws a chigydd. Peth achlusurol iawn fyddai rhyw amheuthun o'r dref. Caech ddewis o ddau grydd i drwsio eich esgidiau, popeth dan haul yn siop haearnwerthwr Wenallt a dillad yn y Post. Ni fu gan 'Nhad erioed gar, ar ei feic yr âi i'r chwarel ac ar y beic yr aem i weld Cesarea Rovers neu Mountain Rangers yn chwarae ffwtbol. Âi 'Nhad i'r practis côr a'r Cyngor Plwy, Mam i'r Cwrdd Chwiorydd a'r Gymdeithas Lenyddol, a phawb ohonom i'r capel. Weithiau cawn fynd efo 'Nhad i gerdded llwybrau'r plwy neu at deulu yn Nhal-y-sarn gyda'r nos o haf. Eithriadau fyddai crwydro ymhellach na Phen-y-groes neu Gaernarfon, heblaw am fynd ar y bws i'r Gymanfa leol a Chymanfa Llŷn ac Eifionydd, mynd ar y Trip Ysgol Sul hir-ddisgwyliedig i'r Rhyl, Llandudno neu Fae Colwyn, neu fynd ar daith gwyliau haf ar fws Whiteways, megis y *Circular Tour of Aberglaslyn* a'i olygfeydd coediog hudol wedi moelni Carmel weddill y flwyddyn.

Rhestrwyd rhai tai yn y pentrefi gan Cadw hefyd, am eu bod yn enghreifftiau o'r gwahanol fathau o adeiladau a geir yn yr ardal:

Gorphwysfa, Rhosgadfan – Tŷ moel ar ei ben ei hun.
Tegfan a'r tŷ drws nesa, Rhosgadfan – Dau dŷ uncorn.
Tan-y-ffynnon a *The Haven*, Rhos-isa – Tai unllawr.
Capel Bethel a'r ddau dŷ bob ochr iddo, Bethel House a Rhoslwyn, Rhos-isa.

Prif ddefnydd y comin yn ystod y cyfnod hwn oedd fel porfa i'r anifeiliaid. Âi'r pentrefwyr a'r tyddynwyr am dro weithiau yn ystod yr haf, ac i hel llus yn eu tymor, ond prin iawn oedd y defnydd a wneid o'r comin ar gyfer hamddena. Nid oedd gan y chwarelwyr druain a'u teuluoedd fawr o amser nac ynni yn weddill ar gyfer gweithgareddau hamdden wedi'u caledwaith.

Mae'r tirlun unigryw hwn yn parhau hyd heddiw er i oes yr hen chwareli ddod i ben. Gwelir clytwaith y tyddynnod lluosog, y waliau cerrig llwydion o amgylch y caeau bychain, y llwybrau cris-croes rhwng tyddyn a chwarel a phentref, a'r pentrefi plaen eu strydoedd o hyd, oll i'n hatgoffa o fywyd mewn oes a fu.

Y Porwyr

Un canlyniad i ddirywiad y diwydiant llechi fu diwedd ffordd o fyw arbennig y tyddynnwr-chwarelwr a hynny'n arwain at newid yn y defnydd o'r comin gan y porwyr. Bu gweddill y ffermwyr mynyddig sydd â hawliau pori hefyd yn rhan o'r newidiadau sylweddol mewn ffermio dros yr hanner canrif diwethaf. Mae'n amlwg fod ffermio mynydd mewn argyfwng y ddyddiau hyn, ac felly mae'n ansicr beth fydd y defnydd amaethyddol a wneir o'r comin yn y dyfodol.

Ni ddaeth diwydiant arall sylweddol i gymryd lle'r chwareli, a thros y deugain mlynedd diwethaf bu incwm isel a diffyg gwaith yn broblem yn yr ardal. Arweiniodd y gwendid yn yr economi leol, a chystadleuaeth gan yr archfarchnadoedd a phopeth mawr arall, at ostyngiad sylweddol yng ngwasanaethau'r pentrefi a bu'n rhaid i'r siopau gau. Nid oes llythyrdy yn Rhostryfan bellach ac nid oes siop yn y Fron na Rhosgadfan. Mae traddodiad hir o ffermio mynyddig yn yr ardal ond nid yw'n cyfrannu fawr at yr economi leol. Bu gostyngiad sylweddol yn y nifer o ddaliadau amaethyddol sy'n cynnal teulu, yn ogystal ag yn y nifer o weithwyr arnynt, dros yr ugain mlynedd diwethaf.

Gwelir dirywiad amlwg yn ansawdd tir y tyddynnod. Mae amryw yn furddunnod, eraill yn dai haf, eraill gyda mewnfudwyr yn byw ynddynt a'r prif ddefnydd yw pori gan geffylau.

Tŷ haf

Tlodi balch a wyngalchwyd – yn fodern,
    A gwyn fyd a gollwyd:
   Er graen lliw mae'r gorau'n llwyd,
   Gwŷr Eingl sydd dan y gronglwyd.

Tim Ymryson Powys

Cynhaliwyd arolwg *Uwchgwyrfai Common Land Foundation Study* a gomisiynwyd gan CYMAD ym mis Mawrth 2000 i ganfod cyflwr y comin o ganlyniad i bori. O'r ugain rhan a astudiwyd, pori ysgafn oedd mewn 6, cymhedrol mewn 12 a dim ond mewn 3 yr oedd tystiolaeth o or-bori. Roedd y gor-bori yn bennaf ar Foeltryfan, ond ar y cyfan roedd y canlyniadau'n argoeli'n dda yn amaethyddol ac yn ecolegol. Ymddengys fod y pori presennol yn addas i gynnal y bio-amrywiaeth. Nid yw'n ddymunol i gefnogi gorchuddio'r cyfan â thyfiant grugog; mae rhai porwyr eisiau canran uwch yn borfa ac felly mae angen cyfaddawd. Byddai cadw'r llecynnau grug yn fanteisiol yn nhermau Tir Gofal ac mae angen bugeilio yn yr ardaloedd lle mae gor-bori.

Yn ariannol, gweithia nifer o ffactorau yn erbyn y ffermwyr. Roedd yr Incwm *Net* ar i lawr yn sylweddol rhwng 1996 a 2000. Mae'r ffermwyr yn or-ddibynnol ar amrywiol gynlluniau ac mae gwerth defaid a gwartheg wedi gostwng. Mae'r brif ffynhonnell cymhorthdal, Premiwm Blynyddol Defaid, wedi gostwng hefyd.

Yn ôl y sôn ymhlith y porwyr, mae llai o ddefaid ar y comin nag a oedd bymtheg mlynedd yn ôl, er bod rhai yn dweud bod un ffarmwr o Fôn yn dod â rhwng 600 a 700 o famogiaid ac ŵyn yno yn y gwanwyn. Mae hawliau pori ar gyfer 21,024 o ddefaid ar y comin – ffigwr afresymol o uchel; ni fyddai yr un blewyn ar ôl petai cynifer â hynny o ddefaid yn pori yno! Yn ôl y rheol gyffredinol o chwe dafad (gan gynnwys ŵyn) i'r hectar, cyfanswm o 6070 fyddai hynny, ac nid yw'r nifer cyfredol o ddefaid yn broblem.

Mae rhai problemau fodd bynnag, megis defaid yn crwydro i lawr i'r pentrefi, dim cynllun rheolaeth a dim pwyllgor porwyr ers tro byd tan 2001.

Yn ôl yr adroddiad, mae angen cynllun rheoli, gan gynnwys cymorth ariannol i sicrhau parhad defnydd amaethyddol y comin, gofalu am gadwraeth i gwrdd ag anghenion amgylcheddol, diogelu ffermio mewn mannau ble mae cyfyngiadau amgylcheddol, a hybu ffermwyr i ddefnyddio arferion cynaladwy.

Cymdeithas a Diwylliant

Gwaraidd ddiwylliant gwerin – a'u cododd,
    Wŷr cedyrn eu rhuddin
    Gwnaeth syml goleg y gegin
    Hwy'n braff er eu haddysg brin.

Llyfr Duw fu'n lleufer i'w dysg – a hudol
    Ysbrydiaeth ddigymysg;
    Iddynt ei Air oedd hyddysg,
    A mawr ei barch yn eu mysg.

Y Chwarelwr, Lisi Jones

Datblygodd cymdeithas a diwylliant arbennig yn ardaloedd y chwareli llechi. Mae hyn yn ystrydeb mi wn, ond y mae'n berffaith wir a chefais brofiad ohono fy hunan o ddiwedd y 1940au ymlaen. Cyfrannodd sawl elfen i'r datblygiad hwn: y ffaith fod cynifer o ddynion yn gweithio gyda'i gilydd yn y chwareli; bod y tyddynwyr yn dibynnu ar gymwynasau ar adegau prysur o'r flwyddyn megis adegau cneifio a chario gwair; bod y pentrefi wedi codi fel madarch mewn byr amser – y rhain oll gyda'i gilydd yn fodd i greu cymdeithas gymdogol, glos.

Roedd Anghydffurfiaeth yn ddylanwad cryf ar y bobl, gyda'r bywyd crefyddol a chymdeithasol yn troi o gwmpas y capeli. Er yn brin o addysg ffurfiol, roedd nifer dda o'r chwarelwyr yn ddynion hunan-ddysgedig, diwylliedig, wedi darllen yn helaeth ac yn weithgar mewn amryfal gymdeithasau. Ffynnai pob math o weithgareddau, cymdeithasau llenyddol, dosbarthiadau WEA, corau a phartïon, eisteddfodau, bandiau pres, cymdeithasau drama, rasus cŵn a thimau pêl-droed, a phery'r traddodiad i ryw raddau. Mae coffa da gen i fel sawl un arall am Eisteddfod Mynydd y Cilgwyn, Eisteddfod Moeltryfan, Cylchwyl Lenyddol Rhostryfan, Band Moeltryfan, Côr Mynydd y Cilgwyn, a gemau Mountain Rangers a Cesarea Rovers.

Portreadodd llenorion megis T. Rowland Hughes, Caradog Prichard a Kate Roberts y gymdeithas hon mewn nofelau a straeon byrion, gyda nifer o nodweddion yn amlygu eu hunain sef:

gwerin syml, ddiffuant, egwyddorol, Anghydffurfiol, radicalaidd, yn meddu ar werthoedd 'da', yn gyforiog o'r diwylliant Cymraeg ar ei orau, ac yn perthyn i gymdeithas ddidwyll, hawdd ei deall, gwerth ei hefelychu.

'Y deryn nos a'i deithiau,' *Cof Cenedl 3*, Dafydd Roberts

Dyma'r hyn a welodd O.M. Edwards ar ei daith i ben y Cilgwyn:

Codwn i fyny'n gyflym ar hyd y ffordd serth, a chyn hir daeth llaweroedd o chwarelwyr i'm cyfarfod ar y ffordd adref o'u gwaith. Mwyn oedd sylwi ar eu hwynebau deallgar; a da oedd gennyf weled, gydag ambell eithriad curiedig, eu bod yn bobl iach.

Cadarnheir dylanwad cryf Anghydffurfiaeth gan y nifer o gapeli ym mhob pentref. Dyma'u hynt a'u helynt erbyn heddiw, sy'n adlewyrchu'r sefyllfa mewn llawer man arall erbyn hyn hefyd, ysywaeth:

Rhostryfan a Rhos-isa:
Horeb MC 1866 – Dymchwelwyd, y festri yn gapel.
Tabernacl A 1866 – Dymchwelwyd, tri thŷ wedi'u codi yno yn 2002.
Bethel W 1836 – Yn agored.
Libanus – Addaswyd yn dŷ.

Rhosgadfan:
Rhosgadfan MC 1876 – Ar gau. Caewyd y festri yn 2003 a symudodd yr aelodau i Horeb, Rhostryfan
Hermon A 1862-1996 – Dymchwelwyd.
Gorffwysfa A 1903 – Gwasanaethau achlysurol.
Y Fron: Cesarea MC 1880 – Ar werth.
Bwlch-y-llyn A 1907 – Wedi cael ei addasu'n dŷ.

Carmel:
Carmel MC 1871 – Dymchwelwyd; codwyd tŷ a chapel newydd yn 1998.
Pisgah A 1877– Addaswyd yn dai yn 2003 – gwasanaethau yn y Festri.
Pisgah B 1820 – Mynachlog Ioan Fedyddiwr.

Cilgwyn A 1877 – Encil perthynol i'r Fynachlog, mewn cyflwr gwael.

Bryn MC 1906 – Addaswyd yn dŷ.

Hen gapel

Emyn na chri gweddïau – ni ddaw mwy
   Oddi mewn i'w furiau,
   A'r drws lle rhoed yr iasau
   I'n tadau gynt wedi'i gau.

H. Meirion Huws

Diddorol hefyd yw sylwi nad oes tafarn yn un o'r pentrefi uchod, er bod clwb cymdeithasol Mountain Rangers yn Rhosgadfan bellach, ond datblygiad gweddol ddiweddar yw hwn, a bu cryn wrthwynebiad iddo ar y pryd. Cymdeithas gyd-ddibynnol oedd hi oherwydd eu hamgylchiadau byw. Dibynnai pawb ar gymwynasau yn y pen draw.

Credaf fod chwarelwyr fy hen ardal i yn ddibynnol iawn ar ei gilydd. Ar gymwynasgarwch yr oeddem yn byw. Y tyddynnwr a chanddo drol yn rhoi ei benthyg i gario gwair a theilo i'r un nad oedd ganddo un. Chwarelwr yn colli hanner diwrnod o waith i fynd i helpu chwarelwr arall i gario gwair. Colli hanner diwrnod i fynd i gladdu cymydog. Gwneud cyngerdd neu ddarlith i ddyn a gollasai ei anifail neu ei waith trwy waeledd am amser hir. Daeth y bobl yma o leoedd eraill i dir gwyryf sâl ei ansawdd. Yr oeddynt yn gynefin â thir gwell cyn hynny. Felly yr oedd yn rhaid iddynt ymddibynnu llawer ar ei gilydd. Ni cheir cymwynasgarwch heb fod angen amdano.

Peth arall a ddywedir o hyd ydyw mai'r capel oedd y ganolfan gymdeithasol yn yr amser a aeth heibio . . . Mae'n wir eich bod yn gweld eich gilydd yn y capel, ond nid oedd cymdeithasu yno . . . Mynd adre ar eu hunion a wnâi pawb, ag eithrio'r bobl ifanc ar ôl y bregeth. Fe gynhelid cyfarfodydd fel cymdeithasau llenyddol, cyfarfodydd darllen a chyfarfodydd plant yng nghanol yr wythnos, ond pobl ifanc a fynychai'r rhai hyn. I'r cyfarfod gweddi a'r seiat yr âi'r bobl mewn oed. Yn y tai yr oedd y gymdeithas. Nid âi pobl i dai ei gilydd bob nos, ond yr oedd yn arferiad gan gymydog daro i mewn yn nhŷ cymydog yn bur aml ac aros yn lled hwyr weithiau.

Os deuai cymydog i mewn ymunai â ni yn y pryd yma (swper). Treulid gyda'r nos fel hyn yn siarad, a naw gwaith o bob deg, dweud straeon y byddid.

Y Lôn Wen, Kate Roberts

Tybed a ydych chithau'n cytuno â Kate Roberts fod rhaid cael angen cyn y bydd cymwynasgarwch? A ydi'n hymwneud ni â'n gilydd heddiw yn dioddef oherwydd ein hawddfyd? Gall rhai weld yr angen yn well na'r lleill, siŵr o fod.

Ond peidiwn â meddwl mai seintiau oedd y chwarelwyr i gyd! Fel y disgrifiodd Kate Roberts deulu Winni Ffinni Hadog yn *Te yn y Grug,* a'r hanesion erchyll a gawn yn *Un Nos Olau Leuad,* Caradog Prichard, roedd digon o 'giaridyms' i'w canfod. Roedd digon o feddwi, cwffio, godinebu a sawl brycheuyn arall ar gymeriad rhai o'r bobl. Os nad oedd tafarn yn y pentrefi ar ffin y comin, gellid cerdded i lawr i 'Ben-nionyn' yn y Groeslon, y 'Goat' a 'Mount Pleasant' yn Llanwnda neu'r 'Newborough' ym Montnewydd, a cheid digon o ddewis ym Mhen-y-groes neu Gaernarfon, ac roedd digon o droedio ar y llwybrau tua'r ffynnon! (Nid 'mod i'n awgrymu am eiliad fod mynychu tŷ tafarn yn bechod!)

Dangosir bod ochr arall i'r gymdeithas yn erthygl ddifyr Dafydd Roberts y dyfynnwyd ohoni eisoes:

Tybed na fuom yn rhy barod i dderbyn ein hanes a'n hatgofion am yr ardaloedd hyn o law a genau rhai a hyfforddwyd i draethu'n gyhoeddus ac i gofnodi'n ddeallus gan gapel a Sêt Fawr? Nid cymdeithas ddu a gwyn, o bechaduriaid a'r cadwedig rai, a nodweddai'r rhannau hyn o Wynedd, ond yn hytrach cymdeithas lle y llithrai mynychwyr yr oedfa a'r dafarn drwy ei gilydd, yn unedig ym mhrofiad y chwarel. Y gorchwylion dyddiol yno a osodai stamp ar gymuned a chymdeithas, a dyna'r undod profiad a unai'r dirwestwr a'r diotwr.

'Y deryn nos a'i deithiau,' *Cof Cenedl 3,* Dafydd Roberts

Ategir hyn gan Thomas Parry:

Y mae pawb yn meddwl am y gymdeithas honno fel un gul a Phiwritanaidd . . . Yr oedd hi'n Biwritanaidd yn yr ystyr fod rhai mathau o ymddygiad yn waharddiedig. Ond y delfryd oedd hynny. Yn ymarferol doedd dim cymaint a chymaint o wahaniaeth rhwng yr oes honno a'n hoes lac ni. Yr oedd plant siawns y pryd hwnnw, a phriodasau brys. Fe fyddai John Jones, Tyn-y-gadlas, un o'r gweddïwyr cyhoeddus mwyaf eneiniedig yng nghapel Carmel, yn galw'n agored yn y Llanfair Arms yn y Groeslon neu'r Red Lion ym Mhen-y-groes am ei beint o gwrw . . . Y gwir wahaniaeth yw fod gan yr oes honno safonau, er nad oedd yn eu cyrraedd bob tro, a'n hoes ni yn tueddu i fod heb safonau o gwbl.

Amryw Bethau, Thomas Parry

Magwyd amryw byd a ddaeth yn ffigyrau amlwg yn ein byd llenyddol yn ardal y comin a'r cyffiniau. Tebyg mai brolio gan frodor yw hyn, ond go brin fod ardal arall a all gymharu â Dyffryn Nantlle yn hyn o beth. Dyna i chi yr ysgolheigion Syr Thomas Parry a Dafydd Glyn Jones, a'r llenor dawnus Gruffudd Parry o Garmel; y bardd Lisi Jones o'r Fron; un o'r goreuon ymhlith ein dramodwyr, y Dr John Gwilym Jones o'r Groeslon; Gwilym R. Jones, Idwal Jones ac R. Williams Parry o Dal-y-sarn; Mathonwy Hughes, R. Alun Roberts, Silyn Roberts o ochrau'r Cymffyrch a Dic Tryfan a'i straeon byrion o Rosgadfan.

Ond y ffigwr llenyddol pwysicaf a gysylltir yn uniongyrchol ag ardal comin Uwchgwyrfai yn ddiau yw Kate Roberts, a gydnabyddir fel meistres y stori fer Gymraeg, a gwraig a oedd yn nofelydd arbennig hefyd yn ogystal â bod yn feirniad llenyddol o bwys ac yn ysbrydoliaeth i amryw o lenorion eraill. Fel y dywedwyd eisoes, fe'i maged ar ddyddyn Cae'r Gors yn Rhosgadfan a bu ei magwraeth a'i phrofiadau rhwng ei geni yn 1891 a gadael am y Coleg yn 1910, ac ymweliadau wedyn i weld ei rhieni, dylanwadau yr amgylchedd a'r bobl yn Rhosgadfan, oll yn ffynhonnell i lenyddiaeth gorau'r iaith Gymraeg. Ardal y comin a'r cyffiniau a bywydau y tyddynwyr a'r pentrefwyr a ddisgrifir mor fanwl, mor fyw mewn llyfrau megis *O Gors y Bryniau*, *Deian a Loli*, *Laura Jones*, *Rhigolau Bywyd*, *Traed Mewn Cyffion*, *Te yn y Grug*, a'r *Lôn Wen*. Addaswyd dwy o'r cyfrolau, *Te yn y Grug* a *Traed Mewn Cyffion*, ar gyfer y teledu, gyda'r comin a'r tyddynnod yn safleoedd perffaith ar gyfer ffilmio. Lliwiau'r grug a'r eithin, tawelwch Moel Smytho, a disgrifiadau manwl o wahanol agweddau o'r amgylchedd sydd yn themâu cyson yn ei gwaith. Trwy ei geiriau hi yn bennaf y ceisiais ddod â'r hanes hwn yn fyw.

Newidiadau Economaidd a Chymdeithasol

Dyma grynhoi'r ffeithiau i weld beth fu'r prif newidiadau economaidd a chymdeithasol ar ôl 1750:

a) Rhwng 1750 ac 1900

Gwelwyd newidiadau economaidd a chymdeithasol enfawr yn ystod y cyfnod hwn, yn enwedig yn y bedwaredd ganrif ar bymtheg, a hynny'n achosi newidiadau ar y comin a'r defnydd a wneid ohono. Gydag ymlediad y tyllau chwarel a'r tomennydd rwbel enfawr, diflannodd rhannau o'r tir comin. Codwyd tyddynnod ar y comin gan raddol ymestyn i fyny'r llethrau a dilynwyd y cynnydd cyflym yn y boblogaeth gan dwf y pentrefi, eto ble bu'r comin. Cafwyd poblogaeth sefydlog gyda digon o waith yn lleol. Lleolwyd y tyddynnod a'r pentrefi o fewn cyrraedd y man gwaith, sef y chwareli, a gwnaed patrwm o lwybrau ar draws y comin i gysylltu'r tyddynnod, y pentrefi, y capeli a'r chwareli. Gwnaed defnydd dwysach o'r comin fel porfa gan fod llawer mwy o dyddynnod nag o'r hen hafotai. Agorwyd rheilffordd yn 1877 (cangen Bryngwyn o'r *Welsh Highland Railway*) i alluogi cario llechi o'r chwareli at Dyddyn Gwŷdd ac yna ymlaen i'r cei yng Nghaernarfon.

b) O 1900 hyd at 1970

O ganlyniad i ddirywiad y diwydiant llechi bu gostyngiad yn y boblogaeth oherwydd diffyg gwaith. Symudodd y trigolion i'r pentrefi am nad oedd fawr o werth amaethyddol i'r tyddynnod bellach, ac nid oedd gwasanaethau megis dŵr, carthffosiaeth a thrydan ar gael iddynt yno. Bu'n rhaid iddynt deithio ymhellach i weithio mewn ffatrïoedd megis Ferodo a Bernard Wardle yng Nghaernarfon, neu hyd yn oed y tu allan i Gymru, i leoedd megis Rugby, Crosby a Coventry yn y 1950au.
Caeodd rheilffordd y *Welsh Highland Railway* yn 1937.

c) O 1970 hyd at y presennol

Erbyn hyn mae nifer o'r tyddynnod ar ffin y comin yn furddunnod ac eraill yn dai haf a daeth nifer o bobl wedi ymddeol, o Loegr yn bennaf, i fyw i'r pentrefi a'r tyddynnod. Mae diweithdra yn parhau'n broblem a phobl ifanc yn gadael yr ardal. Ceir llai o wasanaethau a chyfleusterau yn y pentrefi hefyd.

Ychydig iawn o'r tyddynnod sy'n parhau'n 'dyddyn' yn yr ystyr draddodiadol erbyn heddiw. Mae tua hanner dwsin o gartrefi yn cadw defaid, ieir ac ychydig o eifr, rhai yn eiddo i newydd-ddyfodiaid sydd wedi ffoi o'r dinasoedd i fwynhau bywyd cefn gwlad.

Dirywiodd ansawdd y tir ar gaeau rhan helaeth o'r tyddynnod, gan raddol droi'n ôl yn borfa fynydd, ac ar gyfer hamddena yn unig y defnyddir y llwybrau. Golyga newidiadau cymdeithasol fod gennym fwy o amser hamdden bellach.

Nid oes cystal rheolaeth ar y comin gan y porwyr ychwaith. Dônt â defaid yma o bell i bori ar y comin dros yr haf ac nid oes cynefin ganddynt. Gwelir effaith rhai o'r ffactorau hyn yn yr ystadegau isod ar gyfer y tri phlwy sy'n cynnwys rhannau o'r comin:

Rhai manylion poblogaeth o gyfrifiad 1991(Cyngor Gwynedd)

	Llanwnda	Llandwrog	Betws Garmon
Cyfanswm preswylwyr 1981	1715	2391	319
Cyfanswm preswylwyr 1991	1855	2456	257
% dan 16 oed	22	18	16
% o dai gyda phensiynwyr yn unig	28	27	19
% o fewnfudwyr	5	6	7
% dros 3 oed yn siarad Cymraeg	81	78	56

Maged Mathonwy Hughes ar dyddyn Brynllidiart uwchben Tanrallt yn Nyffryn Nantlle, dafliad crawen o'n hardal, ac fe grisielir y newidiadau hyn ganddo mewn dwy ysgrif yn ei gyfrol *Atgofion Mab y Mynydd*.

Creu Tyddyn: Yn y dechreuad yr oedd mynydd. Dim ond mynydd moel. Cwm unig a dim arall oedd y lle.

Ganwaith y bûm yn dyfalu pwy a pha fath un oedd yr hen frawd a freuddwydiodd gyntaf y gallai greu mymryn o dyddyn o'r fath le. Dychmygwn ei weld, greadur barfog, yn cwmanu dringo'r llechweddau yn llewys ei grys gwlanen cartref, â'i gaib a'i raw ar ei ysgwydd. Sefyll am foment, a thaflu'i olwg dros y lle cyn poeri ar ei ddwylo a dechrau arni. Ceibio a phalu, palu a cheibio. Dyfod yn erbyn carreg go fawr. Ei hosgoi. Rhaid dwad â gordd at hon yfory . . . Drannoeth a thrennydd a thradwy bydd yr hen frawd yno drachefn ar lasiad y dydd. Deil ati o ddiwrnod i ddiwrnod, o fis i fis ac o flwyddyn i flwyddyn mewn glaw a hindda, ym min oerwynt ac yng ngwres haul tanbaid nes bod ganddo bellach gae neu ddau i'w feddiant a phorfa rywiocach yn y fargen. Felly y daeth Brynllidiart i fod, yn werddon fach o dyddyn ar fraich yr ucheldir . . .

Clywais nad oedd y lle ond 'tair acer a buwch' o dyddyn pan gymerth fy nhaid, yn ddyn ifanc cydnerth, cyhyrog ef ar rent ychydig cyn priodi . . .

Gyda chyflogyn y chwarel a llafur di-ŵyl a di-noswyl bron a darbodusrwydd ei wraig llwyddodd i grafu bywoliaeth a magu teulu. Palu a dal i balu fu ei hanes yntau cyn medru crafu ceiniog i gael aradr bren a throl a merlen. Dechreuodd pethau symud wedyn. Llawer gwaith y clywais fy mam yn dweud mai ei thad efo'r hen ferlan bach oedd wedi creu caeau gwair yr hen dyddyn mynyddig y cefais fy ngeni a'm magu arno.

Cyn i'r hen ŵr gau ei lygaid ar y byd ac ar lafur ei oes, roedd y tyddyn yn bedair acer ar ddeg o dir gwair heblaw'r borfa fynydd a'r gors a'i cylchynai. Cadwai'r lle ryw bump o fuchod godro a heffrod ac ambell lo magu, a chryn drigain neu ragor o ddefaid.

Dim ar ôl: 'D aeth neb i fyw i'r hen gartref ar ein holau ni. Pwy fentrai fyw mewn lle mor anghysbell byth wedyn? Amser fu'r unig denant i hawlio Brynllidiart.

Dro yn ôl, ar ôl yr holl flynyddoedd, euthum i fyny wrthyf fy hun ac wrth fy mhwysau i gael un olwg ar yr hen fynyddoedd a chael anadlu llond fy ysgyfaint o awyr iach yr ucheldir. Roedd hyd yn oed y llwybr yr arferem ei gerdded (a rhedeg hyd-ddo) gynt ar ein ffordd i'r capel a'r pentref wedi diflannu o'r golwg o dan redyn ungoes a mieri. Roedd gordyfiant gwyllt wedi cael y llaw uchaf ar bopeth.

Ar ôl cyrraedd yr ucheldir roedd y corsydd rhyngof a'r hen gartref wedi troi'n siglennydd. Nid heb gwmpasu cryn lawer y llwyddais i gyrraedd tir yr hen dyddyn a hynny trwy fylchog glawdd na bu bwlch ynddo erioed i mi gofio. Cerdded yn betrus tua'r llecyn yr arferai'r hen dŷ sefyll arno a chanfod nad oedd dim ar ôl ond muriau moel, ac un o'r pedwar mur eisoes yn garnedd i ddail poethion a thafol. Carnedd hefyd oedd y beudy ac nid oedd dim i awgrymu buarth na chadlas 'chwaith ond olion aneglur. Roedd yn amlwg fod yr holl le'n adfeilion ers cryn amser. Roedd y gwrych drain wedi gordyfu a'r olwg arno yn frawychus. Doedd dim sôn am y ffos ddŵr glân, roedd honno wedi hen sychu a magu croen brwynog, gwydn.

Ymdroi dipyn o gwmpas wedyn a chael bod y lle i gyd wedi troi'n un ffridd arw, ac ambell ddafad ruslyd i rywun yn cymryd arni bori ambell flewyn rhywiocach na'i gilydd. Fedrwn i ddim credu bod y fath le, nad oedd yn ddim bellach ond diffeithdir crawcwellt caled, yn gaeau gwair ar un adeg.

Oedd, roedd y mynydd wedi cael yr eiddo'n ôl. Deupen y cylch wedi cyfarfod a mynd yn un unwaith eto.

Defnydd o'r Comin

a) Rhwng 1750 ac 1970

Diwydiannol – Y chwareli.

Amaethyddol – Yn dra thebyg i'r cyfnod cyn 1750 ond gyda phori dwysach oherwydd y nifer fawr o dyddynod â hawliau pori. Roedd rheolaeth eitha cyfrifol o'r comin gan y tyddynwyr ac er eu lles eu hunain gofalent gynnal porfa dda, peidio cael gormod o ddefaid rhag gor-bori, llosgi grug ac eithin a chadw'r defaid yn eu cynefin. Bu symudiad o gadw gwartheg yn bennaf i gadw defaid yn bennaf a gwelid ychydig o ferlod ar y comin. Daliai'r trigolion i godi mawn nes y daeth glo ar gael yn rhwydd. Casglent rug ac eithin hefyd.

Anheddau – Roedd pobl yn byw yma, ar y tyddynnod, yn union fel y bu pobl yma yn ystod Oes yr Haearn.

Hamddena – Byddai peth cerdded ar y comin, ond am nad oedd gan bobl fawr o amser hamdden tan ail hanner yr ugeinfed ganrif, ychydig oedd hyn, dim ond picnic achlysurol efallai a hel llus yn ei dymor. Cerddai ychydig o bobl i gopa Mynydd Mawr hefyd. Dim ond yn ystod y chwarter canrif diwethaf y daeth y llwybrau'n amlwg.

Wedi i bobl symud i fyw i'r ardal, byddai nifer fawr o blant yn byw o fewn cyrraedd hwylus i'r comin ac aent yno i chwarae. Trown at Kate Roberts unwaith eto am dystiolaeth o hyn ac am ei disgrifiadau o'r planhigion a'r anifeiliaid a welid ar y comin:

> Gwir hyfrydwch inni oedd mynd i'r mynydd i droi ein traed fel y mynnem ar ddydd o haf. Darganfod am y tro cyntaf y llysieuyn hwnnw, corn carw, a thynnu ei gordeddiadau cyndyn oddi ar fonau'r grug, gan obeithio gael llathenni ohono. Yna hel gruglys, y llus bychain, chwerw eu blas, a dyfai yng nghanol y grug. Cymerai amser hir i gael digon i wneud teisen blât ohonynt, ond byddai'r deisen honno yn llawer gwell na theisen lus. Byddai'r bechgyn yn chwilio am nythod cornchwiglod ac yn pysgota yn y ffrydiau, ac ni chlywais i gystal blas ar frithyll byth wedyn ag ar y brithyll hynny a ddaliai fy mrodyr yn afon fach Pen-bryn. Trwy ganol y

mynydd-dir hwn rhedai lôn gul a elwid yn Lôn Wen, oherwydd y garreg wen oedd yn ei phridd.

Y Lôn Wen, Kate Roberts

Ni allwn sôn am blant yn chwarae ar y mynydd heb gyfeirio at *Te yn y Grug*, ble ceir hanes Begw, Mair a Winni Ffinni Hadog yn crwydro'r llethrau. Dyma i chi flas o'r stori:

Ychydig bach cyn troi i'r mynydd, pwy a welsant ar y ffordd ond Winni Ffinni Hadog, yn sefyll â'i breichiau ar led fel petai hi'n gwneud dril.
'Chewch chi ddim pasio,' meddai hi yn herfeiddiol.
A dyma'r ddwy arall yn ceisio dianc heibio iddi, ond yr oedd dwy fraich Winni i lawr arnynt fel dwy fraich sowldiwr pren. Wedyn dyma hi yn gafael yn llaw rydd pob un ac yn eu troi o gwmpas.
'Rydw i'n dwad efo chi i'r mynydd', meddai.
'Pwy ddeudodd y caech chi ddwad?' meddai Mair.
'Sut ydach chi'n gwybod mai i'r mynydd ydan ni'n mynd?' oedd cwestiwn Begw.
'Tasat ti'n fy nabod i, fasat ti ddim yn gofyn y fath gwestiwn.'
'Ydi o'n wir ych bod chi'n wits?' ebe Begw.
'Ddyla hogan bach fel chdi ddim holi cwestiyna.'

Te yn y Grug

Yr oedd y ffyrdd y pryd hynny hefyd yn ddigon diberygl inni chwarae arnynt, chwarae pêl, neidio trwy gortyn, coetiau, marblis sglent a marblis twll, a thŷ bach ar y dorlan yr ochr arall i'r afon. Ond yr oedd yn rhaid cael help dwy goeden tu ôl i'r gadlas i chwarae siglen adenydd, a chael casgen i chwarae tonnau'r môr.

Atgofion, Kate Roberts

Ac yng Ngharmel ar ddechrau'r ugeinfed ganrif:

Ond y mae yna sŵn arall yn yr awyr grisial heno. Sŵn ydyw fel pe bai olwynion pren heb gylchau arnynt yn gyrru ar balmentydd caledion ac yn codi a tharo yn eu gwib. O'r 'mynydd bach' – clwt o dir comin yr ochr isa i'r Rhes Ffrynt – y mae'r sŵn yn dod, ac y mae yna sŵn lleisiau yn gymysg ynddo – sŵn lleisiau fel fydd gan bobl yn siarad yn y nos. Sglefrio ma' nhw a ma'n rhaid i ni fynd draw i gael golwg.

Neidr o sglefr hir sydd yma, wedi ei chodi ar oriwaered ar y tir comin, a rhywrai hirben wedi cario dŵr pan oedd hi'n dechra rhewi tua pump o'r gloch a'i dywallt arni nes bod modd symud ar ei hyd fel sebon ar wydr . . .

Roedd hi'n noson ddigon pwysig i fynd i gyfarfod y dynion yn dod adre o'r chwarel. Fu dim angen mynd ymhell y noson honno. Roedd sŵn traed dynion Dorothea i'w clywed o ymyl Tŷ Mawr, ac felly doedd waeth aros yno ddim rhag ofn i'r siom pe na bai yna gylchyn fod yn un ddwy-ochrog . . . Oedd, yr oedd o wedi dwad yn ddiogel dros yr ysgwydd yn gylchyn newydd sbon.

Yr oedd dysgu rowlio cylchyn yn golygu ymroddiad i ddatblygu disgyblaeth a chrefft. Nid oedd mefl ar y cylchyn hwnnw; dwylath o wrodan haearn dri chwartar wedi ei throi yn gylch perffaith, a'r asiad mor gywrain na fyddai dichon i'r un llygaid beirniadol ei ganfod unwaith y byddai ôl y tân wedi gwywo. Ac yr oedd bachyn wedi dod i'w ganlyn hefyd. Deunydd meinach oedd hwnnw, wedi ei droi ar ffurf 'U' mewn un pen, a'r 'U' wedyn wedi ei throi yn ôl arni ei hun nes bod yn sgwâr â'r hyd i ffitio yn llac gyfforddus am y cylchyn, a'r pen gafael wedi ei droi yn ddolen i gael crogi'r bachyn ar hoelen yn y cwt glo neu'r hoewal.

Mi gymer hi dipyn o ymarfer i ddod i wybod yn union ymhle ar y cylchyn i osod y bachyn i'w gynnal a'i lywio; dod i wybod ar ba gyflymdra y bydd eisiau troi'r bachyn i wneud brêc yn lle gyrru, ac fe ddaw y diwrnod, yn y dyfodol pell ryw dro, pan fydd gyrrwr y cylchyn yma yn gwybod o fewn llathen i'r drws cefn ymhle y bydd eisiau ei godi yn sgleinio fel swllt ac yn dal i droi yng ngrym ei nerth ei hunan. A fydd gan neb ohonyn nhw ddim gobaith i fedru dweud ymhle y bydd yr asiad erbyn hynny . . .

Darn o galico melyn oedd y peth gorau am wneud bag marblis, ond gan fod eisio llinyn crychu i gau'i geg yn ddiogel, nid gwaith i brentis oedd ei wneud, ond i wniadwraig neu deiliwr profiadol. Roedd yna bwrpas arall i'r llinyn crychu hefyd gan fod modd rhoi strap bresus trwy'r ddolen a pheri i'r strap hongian ar y glun fel cleddyf marchog tra byddai'r twrnamaint yn mynd ymlaen.

Gyda'r nosau hirion, melynion oedden nhw, a'r môr yn las yn Ninas Dinlle, ac awelon mis Mehefin yn tonni wynebau'r caeau gwair. Mae hi'n ddigon sych i chwarae marblis ar y dorlan yn ymyl Llidiart y Mynydd, a gan ei bod hi ym mynd i fod yn chwarae am byth ac nid yn chwara benthyg rhaid bod yn berffaith gywir wrth wneud y trefniadau. Wnaiff ring rywsut, rywsut ar ges mo'r tro. Rhaid cael darn o linyn a dau bric wedi eu clymu un ymhob pen iddo. Dal un yn ddiogel yn rhywle lle dylai'r canol fod a mynd â'r llall o amgylch a marcio yn ofalus gylch perffaith. Rhaid gadael y marc canol yn glir hefyd gan mai hwnnw fydd y targed i luchio'r toeau ato. Y nesaf iddo fydd yn cael dechrau a'r pedwar arall yn dilyn yn eu trefn yn ôl pa mor agos i'r bwl oedden nhw. Mi gyfyd un broblem ynglyn â faint o ben i'w roi i lawr. Fydd hi ddim yn anodd cael cytundeb ar rif o dair neu bedair, ond os oes yna gymysgfa o farblis cerrig a marblis cnau, mi fydd yn rhaid cael dealltwriaeth glir ar sawl marblen glai sy'n mynd i gael ei rhoi i lawr i gyfateb i un farblen garreg. Ar ôl cael cyd ddeall a phenderfynu ar bedair carreg o ben, mi fydd eisio gwylio'r gosod yn ofalus, pawb yn ei dro, a bod yn barod i weiddi 'clai' os bydd yna amheuaeth. Mi fydd y perchennog yn siŵr o wadu, ond mater hawdd fydd torri'r ddadl trwy guro'r farblen yn erbyn y dannedd isaf a gwrando ar ei sŵn hi. Mae tinc mewn marblen garreg, a chlai fel curo pren.

'Clai boi.'

'Carrag.'

'Rho slap iddi yn erbyn wal ta. Os ydi hi'n garrag mi ddeil os ydi hi'n glai mi dorrith.'

'Na, ro i ddwy ta.'

'Gwir i'r gola yli.'

Fydd dim gwyro ar y rheolau wrth chwarae am byth, achos mi all y bag calico newydd sbon fod yn wacach yn mynd adre heno, a mae yna un â bwlet yn do ganddo. Mae nhw'n deud mai bôl beran o berfedd moto ydi bwlat. Mae o'n sgleinio fel arian ac yn hawdd ei fflibio efo migwrn y fawd. Fydd gan do gwydr gwddw potal-jinjir-biar ddim gobaith yn ei erbyn o – dyna effaith datblygiad technoleg ddiwydiannol – ond mater arall ydi to gwydr lliwgar wedi dod yn bresant o'r Dre. Ac os ydi'r bag yn wacach yn mynd adra – wel, mae'n rhaid debyn troeon yr yrfa. A mi fydd yna frechdan ffres i swper, ac mae'r menyn yn felyn er bod y gwartheg yn y mynydd.

Blwyddyn Bentra, Gruffudd Parry

Dyma rai o'm hatgofion innau o'm plentyndod yng Ngharmel ganol yr ugeinfed ganrif:

Fan yma mae giât y mynydd, mae hi yma o hyd ond does fawr o reswm dros ei bodolaeth mwyach, gyda'r ffens yn rhidylla a'r defaid yn crwydro ble y mynnant. Doedd fiw i chi ei gadael yn gorad ers talwm. I ni blant Carmal . . . agoriad i ryddid, drws y dychymyg,

> 'Awn ni at y Graig Lwyd, hogia?'
> 'Ia, brysiwch, cyn i'r Indians gyrraedd.
> 'Awe bois, dyryndyryndyryn . . . '

Carlamu hyd y llwybrau troellog, slap go lew i'r glun i sbarduno'r march, cam gwag a byddai fy nghoesau yn bigiada cactus drostynt. Cyrraedd yn laddar o chwys, gadael y ceffyla i bori a chrafangio i gopa'r graig. Ar lwc owt, llaw ar dalcen rhag yr haul tanbaid, chwilio â llygad eryr am y gelyn.

> 'Ma' nhw'n dwad, cuddiwch hogia!'

Cwrcydu, neu orwedd, yng nghysgod y creigia. Crawcian y brain yn cracio'r disgwyl.

Rhyw gwpan bach clir o eithin a grug ar lethr y mynydd yn wynebu'r gogledd ydi Pant yr Eira.

> Lle mae'r gaea'n aros hira
> Lle mae'r awal iach mor ffri.

Criw ohonom yn stwffio i mewn i siop Doris.

> 'Sgynoch chi focsys gwag gawn ni plis?'
> 'I be dach chi isio nhw hogia bach?'
> 'I fynd i Bant yr Eira i sglefrio.'
> 'Braf arnoch chi, hwdwch wnaiff rhain y tro?'

Ac i ffwrdd â ni ar ras. Gyda'r nos ganol ha', y gwair wedi crino'n felyn gwan, yr Eifl yn las gola drwy'r tes a'r môr yn llyn llonydd. Dringo at ymyl y gwpan – eistedd ar y bocs – pwyso'n ôl a chodi traed, – sgŵd go dda gan bartnar – gystal â'r Cresta Run unrhyw ddydd – gwefr bod heb reolaeth ar eich corff – y ffroenau'n llenwi ag arogl eithin, grug a marchwellt – aromatherapi y pumdegau.

> Dros y mynydd i hela penabyliaid
> Dŵr yn y llyn a'r cerrig yn slic.

At llyn Cob a phenlinio wrth y ffrwd a lifai rhwng y ddau bwll, gosod pry genwair i wingo ar flaen brwynen, a denu'r cenau goeg o'i guddfan dan y garreg. Llenwi pot jam efo penabyliaid a chydig o ferw dŵr. Lluchio darna o lechi llyfn i lithro dros wyneb y llyn a chwalu ein cysgodion yn chwilfriw. Dwi'n siŵr bod pawb yn twyllo rywfaint wrth gyfri sawl tro oeddan nhw'n bownsio. Troi am adra pan ddiflannai ein cysgodion a phan dywyllai'r cread. Pwy sydd angen gemau Sega, Mega Drive, CD ROMs, benthyg fideos wrth y fil a byw profiada ail law ffug?

Atgof, Atgof Gynt, Dewi Tomos

Mae plant heddiw yn colli blas profiadau gwerthfawr plentyndod. Roedd un o ddyddiau olaf y flwyddyn 2000 yn ddiwrnod awyr las braf a phobman dan orchudd hudol o eira. Aeth chwech ohonom blant canol oed cyfrifol i fyny am Foeltryfan efo hen sled y plant, *survivial bag* oren llachar a bag bin du. Roedd hon yn daith bleserus ynddi ei hunan – mae troedio eira gwyryf ar fynydd yn rhoi gwefr bob cam. A dyna i chi hwyl wedyn, sglefrio gorfoleddus a bustachu yn ôl i fyny bob yn ail am oria bwygilydd nes i'r haul nesu i'w wely ar yr Eifl. Welson ni'r un plentyn drwy gydol y prynhawn. O leia mi ges i blentyndod y gallaf ei ail-fyw.

b) O 1970 i'r presennol

Diwydiannol – Dim cynhyrchu llechi toi, peth clirio tomennydd rwbel yn y Cilgwyn.

Anheddau – Llai o lawer yn byw ar y tyddynnod.

Amaethyddol – Pori defaid yn unig. Dim gwartheg, merlod na geifr.

Hamddena – Defnydd helaethach o lawer a mwy amrywiol gan y trigolion a chan bobl ddieithr. Dim hanner cymaint o blant yn chwarae ar y comin heddiw o'i gymharu â deng mlynedd ar hugain a mwy yn ôl.

Cerdded – Gwneir defnydd rheolaidd o'r comin gan gerddwyr, ond nid ar raddfa ddwys. Mae digon o lwybrau a mynediad rhwydd oddi ar y ffyrdd er mai un man parcio dynodedig sydd, a hwnnw ar ben ucha'r Lôn Wen sy'n safle i goffáu Kate Roberts. Y llwybr a ddefnyddir amlaf yw'r un i gopa Mynydd Mawr o gyfeiriad y Fron, heibio Llyn Ffynhonnau ac i fyny uwchben Cwm Du. Mae llwybr y Pedwar Dyffryn yn croesi'r comin, gyda mapiau ar gael, yn rhedeg o Fethesda i Lanberis, Waunfawr, a thros y comin i Ben-y-groes, gan gysylltu'r tair ardal chwarelyddol.

Mae apêl y comin i gerddwyr yn amlwg, gyda dewis o lwybrau, mynediad rhwydd a golygfeydd godidog. Gwelir yr Wyddfa yn ei gogoniant, pedol Moel Eilio a chrib Nantlle, yn ogystal â'r arfordir o benrhyn Llŷn i Fôn ac ymlaen at y Gogarth, ac ar gyda'r nosau clir gwelir mynyddoedd Wiclo dros y dyfroedd glas.

Mae nifer o grwpiau yn cynnwys Cymdeithas Edward Llwyd, Clwb Crwydro Ysgol Dyffryn Nantlle a'r *Ramblers* yn trefnu teithiau yma.

Merlota – Daeth cynnydd mewn merlota dros y deng mlynedd diwethaf, yn bennaf yng nghanolfannau'r Gadlys yn Rhostryfan a'r *Snowdonia Riding School* yn Waunfawr, gyda dewis o lwybrau addas.

Rasus mynydd – Bu dwy ras flynyddol, Ras Moeltryfan o Rosgadfan am tua ugain mlynedd, a Ras Mynydd Mawr o'r Fron o 1986 ymlaen. Rhed yr oedolion i'r copaon ac yn ôl, gyda rasus i'r plant ar y llethrau isaf, gyda chefnogaeth Clwb Rhedwyr Eryri. Bydd rhedwyr lleol yn ymarfer yma yn gyson.

Beicio mynydd – Defnydd cyfyngedig sydd yma ar hyn o bryd.

Sgramblo beiciau modur – Gan lafnau lleol, yn enwedig ar Foeltryfan ac o gwmpas siediau hen chwarel Cors y Bryniau.

Cyfeiriannu – Defnyddir yr ardal gan Glwb Cyfeiriannu Eryri ar gyfer cystadleuaeth gyda'r nos unwaith y flwyddyn ers tua phum mlynedd.

Pysgota – Yn Llyn Ffynhonnau, ond nid gymaint â hynny.

Deifio – Defnyddir twll chwarel Braich ar benwythnosau gan ddeifwyr.

Saethu – Bydd y *North Wales Muzzle Loaders Association* yn defnyddio safle hen siediau chwarel Moeltryfan ar benwythnosau.

Dringo – Mae dringfeydd da ar lethrau Castell Cidwm.

Gwelir felly bod amrywiaeth eang yn y defnydd a wneir o'r comin ar gyfer hamddena, ond 'run ohonynt ar raddfa fawr.

Gallai rhai o'r gweithgareddau hyn achosi problemau ar y comin ac er nad oes fawr o broblem gydag erydu ar hyn o bryd, gallai cynnydd mewn merlota, beicio ac yn enwedig sgramblo fod yn niweidiol. Gwisgwyd llwybr llydan i gopa Moel Smytho yn barod ac erydir y pridd mawn, caregog yn gyflym. Mae'r llwybr yn syth i fyny Moeltryfan o'r gwaith dŵr yn llawer mwy amlwg nag oedd tua phum mlynedd yn ôl. Gyda'r newid yn yr hinsawdd o achos cynhesu byd-eang yn ôl rhai, gallai glaw trymach dros y gaeafau wneud y tir yn wlypach am gyfran hwy o'r flwyddyn gan ddwysáu'r erydu ar y llwybrau.

Y Dyfodol

Trafodwyd agweddau o ddefnydd amaethyddol, cadwraethol a hamdden y comin a bydd yn rhaid i unrhyw gynlluniau ar gyfer y dyfodol geisio cadw cydbwysedd rhyngddynt. Dylai gwahanol gyrff gydweithio i hybu defnydd o'r comin ar gyfer y dyfodol a thrwy wella cyfleusterau, gobeithir gweld defnydd mwy cyfrifol ohono.

Yn amaethyddol, gellid dilyn awgrymiadau adroddiad CYMAD fel y crybwyllwyd eisoes, ond hyd yn oed wedyn ni fyddai pori defaid ar y comin yn cyfrannu fawr ddim at yr economi. Dewis arall fyddai cadw defaid oddi ar y comin a thrwy hynny wella'r bio-amrywiaeth. Byddai cyfle i'r gwahanol weiriau, llecynnau grugog a'r corsydd ffynnu a byddai gobaith gweld cynnydd mewn rhai rhywogaethau o adar ac anifeiliaid, ac fe allai llwyni a choed gael chwarae teg i dyfu yma eto. A beth am y ffermwyr? Fel yr eglurwyd, ni fu'r tyddynnod erioed yn unedau dilys ond gallai'r ffermydd mynydd, yr hen hafotai, geisio ffyrdd eraill o ennill bywoliaeth. Rhaid iddynt ystyried arall-gyfeirio, a beth am ffermio organig? Pe gallai'r tyddynwyr dyfu cnydau ers talwm, pam na allent wneud hynny heddiw? Yn sicr, byddai cyflenwi anghenion lleol yn gam i'r cyfeiriad iawn.

Byddai cyfyngu ar y nifer o ddefaid ar y comin a gwella'r bio-amrywiaeth o les i'r diwydiant twristiaeth o bosib, a gallai hynny gyfrannu llawer mwy i'r economi leol. Byddai'r ardal yn fwy atyniadol i ymwelwyr ac i drigolion lleol ar gyfer hamddena.

Mae'n debyg mai cerdded fydd y prif weithgaredd hamdden, fel yn awr. Gellid gwneud mwy o ddefnydd o'r ddau lwybr mwyaf poblogaidd – yr un i gopa Mynydd Mawr a Llwybr y Pedwar Dyffryn. Credaf y dylai Parc Cenedlaethol Eryri geisio denu mwy o gerddwyr o'r mannau mwyaf poblogaidd a hyrwyddo lleoedd fel crib Nantlle, pedol Moel Eilio ac ardal y comin. Gellid cysylltu Llwybr y Pedwar Dyffryn â Llwybr Gogledd Cymru, sy'n mynd o Brestatyn i Fangor, gan greu teithiau 6 i 7 diwrnod o Brestatyn i Ben-y-groes, neu 4 i 5 diwrnod o Gonwy i Ben-y-groes. Gyda marchnata trylwyr gallai'r rhain ddod yn llwybrau poblogaidd. Mae gennym olygfeydd sy'n cymharu'n ffafriol ag unrhyw ardal ym Mhrydain a gallent fod yn hwb sylweddol i'r economi. Cymharer y rhain â llwybrau megis y *West Highland Way, Dales Way, Pennine Way* a llwybr Clawdd Offa. Dylid hefyd sefydlu teithiau hanesyddol, diwydiannol a threftadaeth.

Dyma fwriad Cyfeillion Cae'r Gors gyda'u cynllun i adnewyddu Cae'r Gors a sefydlu Canolfan Dreftadaeth Aml-gyfrwng a fydd yn cyflwyno cefndir hanesyddol, cymdeithasol, diwydiannol a diwylliannol yr ardal. Bydd hyn yn cael effaith gadarnhaol ar y defnydd o'r comin. Cynigir teithiau cerdded i ymweld â'r tyddynnod, y chwareli a'r pentrefi, gyda mapiau a thaflenni gwybodaeth. Bydd y cynllun yn gam pwysig tuag at ddiogelu treftadaeth arbennig yr ardal. Mae Cae'r Gors yn nodweddiadol o dyddynnod y chwarelwyr; bydd yn cael ei ddodrefnu fel ag yr oedd yn y dyddiau gynt; bydd yno arddangosfa o waith Kate Roberts a llenorion eraill, ynghyd â hanes y chwareli a dehongliad o bwysigrwydd amgylcheddol yr ardal. Bydd hyn i gyd gobeithio, yn fodd i bobl, yn enwedig trigolion lleol, barchu ac amddiffyn y lle arbennig yma.

Rhown y gair olaf i Kate Roberts, gyda synfyfyrion Owen yn y nofel *Traed Mewn Cyffion*:

Yr oedd yn noson olau leuad, ac yr oedd y ffordd yn llwydwen dan ei draed. Codai dafad yn awr ac yn y man o'i gorweddle wrth glywed sŵn ei droed, a rhedai i rywle arall. Yr oedd sŵn y ffrydiau mor dawel nes gwneud iddo feddwl mai troi yn eu hunfan yr oeddynt ac nid llifo. Eisteddodd ar garreg fawr. Gorweddai'r pentref odano fel gwlad y Tylwyth Teg dan hud y lleuad. Yma ac acw fel smotiau duon yr oedd tai'r ffermydd bychain, a chlwstwr o goed o'u cwmpas yn cysgodi'r gadlesi a'r tai. Ar y tai eraill disgleiriai'r lleuad, a rhedai ei goleuni'n rhimyn ar hyd llechi'r to. Yr oedd cysgodion y tai yn hir o'u blaen, ac edrychai'r caeau'n felyn yn y goleuni. Yn y gwaelod isaf yr oedd cae ŷd yn ei styciau. Yr oedd y tir o gwmpas lle'r eisteddai yn gochddu, a gwyddai Owen fod yr holl dir, cyn belled ag y gwelai ei lygaid, felly i gyd – tua chan mlynedd cyn hynny. Yr oedd y bobl oedd yn gyfrifol am droi lliw'r tir yn wyrdd yn gorwedd erbyn hyn ym mynwent y plwy. Daethai rhai ohonynt o waelod y plwy i drin tir y mynydd ac i fyw arno.

Ac nid o flaen ei lygaid yr oedd gwaith y dwylo caled hynny. Gallai ddychmygu am wledydd lawer ar hyd y byd, trefi mawrion a rhesi dirifedi o dai a llechi Moel Arian ar eu to, a'r un lleuad ag a ddisgleiriai ar dai Moel Arian heno yn taflu ei phelydrau i lithro hyd do'r tai hynny, yng ngwledydd byd.

Troes ei olygon at domen y chwarel. Heno nid oedd ond clwt du ar ochr y mynydd. Yr un bobl a oedd yn gyfrifol am godi tyddynnod ar fawndir oedd yn gyfrifol am domen y chwarel hefyd. Rhwng y ddau yma y bu'r pentrefwyr am gan mlynedd yn gweithio'n hwyr ac yn fore, nes mynd â'u pennau at lawr cyn bod yn bobl canol oed. Tybiasai rhai ohonynt yr osgoent hyn i'w plant drwy eu hanfon i ysgolion a swyddfeydd a siopau.

Daeth ei feddyliau yn ôl at ei deulu ei hun. Yr oeddynt hwy yn enghraifft gyffredin o deuluoedd yr ardal, pobl wedi gweithio'n galed, wedi cael eu rhan o helbulon, wedi ceisio talu eu ffordd, wedi methu'n aml . . .

Llyfryddiaeth

Cyfansoddiadau Eisteddfod Genedlaethol Cymru Caernarfon 1959

Cynefin Consultants Uwchgwyrfai Common Land Foundation Study

Cyngor Cefn Gwlad Cymru

Davies, D. & Jones, A., *Enwau Cymraeg ar Blanhigion* (Amgueddfa Genedlaethol Cymru, 1995)

Dodd, A.H., *A History of Caernarvonshire* (Bridge Books, 1990)

Edwards, O.M., *Yn y Wlad ac Ysgrifau Eraill* (Hughes a'i Fab, 1958)

Griffith John, *Chwareli Dyffryn Nantlle a Chymdogaeth Moeltryfan* (1889)

Hughes, Mathonwy, *Bywyd yr Ucheldir* (Llyfrgell Sir Gaernarfon, 1973); *Atgofion Mab y Mynydd* (Gwasg Gee, 1982)

Jones, Lisi, *Dwy Aelwyd* (Cyhoeddiadau Mei, 1984); *Swper Chwarel* (Llyfrfa'r Methodistiaid Calfinaidd, 1974)

Jones, R. Merfyn, 'Y Chwarelwr a'i Gymdeithas yn y Bedwaredd ganrif ar Bymtheg', *Cof Cenedl 1*, Gol. G. H. Jenkins (Gomer, 1986)

Lindsay, Jean, *A History of the North Wales Slate Industry* (David & Charles, 1974)

Parry, Gruffudd, *Blwyddyn Bentra* (Llyfrgell Gwynedd, 1975); *Cofio'n Ôl* (Gwasg Gwynedd, 2000)

Parry, Thomas, *Amryw Bethau* (Gwasg Gee, 1996); *Tŷ a Thyddyn* (Llyfrgell Sir Gaernarfon, 1972)

Rhestr a Map Degwm Plwy Llanwnda 1849 (Archifdy Gwynedd)

Roberts, Dafydd, 'Y deryn nos a'i deithiau', *Cof Cenedl 3*, Gol. G. H. Jenkins (Gomer, 1988)

Roberts, Kate, *Atgofion* (Tŷ ar y Graig 1974); *O Gors y Bryniau* (Hughes a'i Fab, 1932); *Rhigolau Bywyd* (Cambrian News, 1929); *Te yn y Grug* (Gwasg Gee, 1981); *Traed Mewn Cyffion* (Gwasg Aberystwyth 1936); *Y Lôn Wen* (Gwasg Gee, 1960)

Roberts, R. Alun, *Hafodydd Brithion* (Hugh Evans a'i Feibion, 1947); *Y Tyddynwr Chwarelwr yn Nyffryn Nantlle* (Llyfrgell Sir Gaernarfon, 1969)

Royal Commission on Ancient Monuments

Tomos, Dewi, *Atgof, Atgof Gynt* (Cyngor Gwynedd, 1997); *Llechi Lleu* (Cyhoeddiadau Mei, 1980); *Straeon Gwydion* (Gwasg Carreg Gwalch, 1990).

Thomas, David, *Cau'r Tiroedd Comin* (Gwasg y Brython)

Wade, T. W., *Gwyrfai Rural District* (1930)

Williams, W. Gilbert, *O Foeltryfan i'r Traeth; Breision Hanes*

Ymddiriedolaeth Archaeolegol Gwynedd